美を伴侶として生きる歓び

伊藤謙介

文源庫

美を伴侶として生きる歓び

写真・デザイン――――田淵裕一

美を伴侶として生きる歓び・目次

第四章　陰影の闇に向かいて

第一章　旅師として

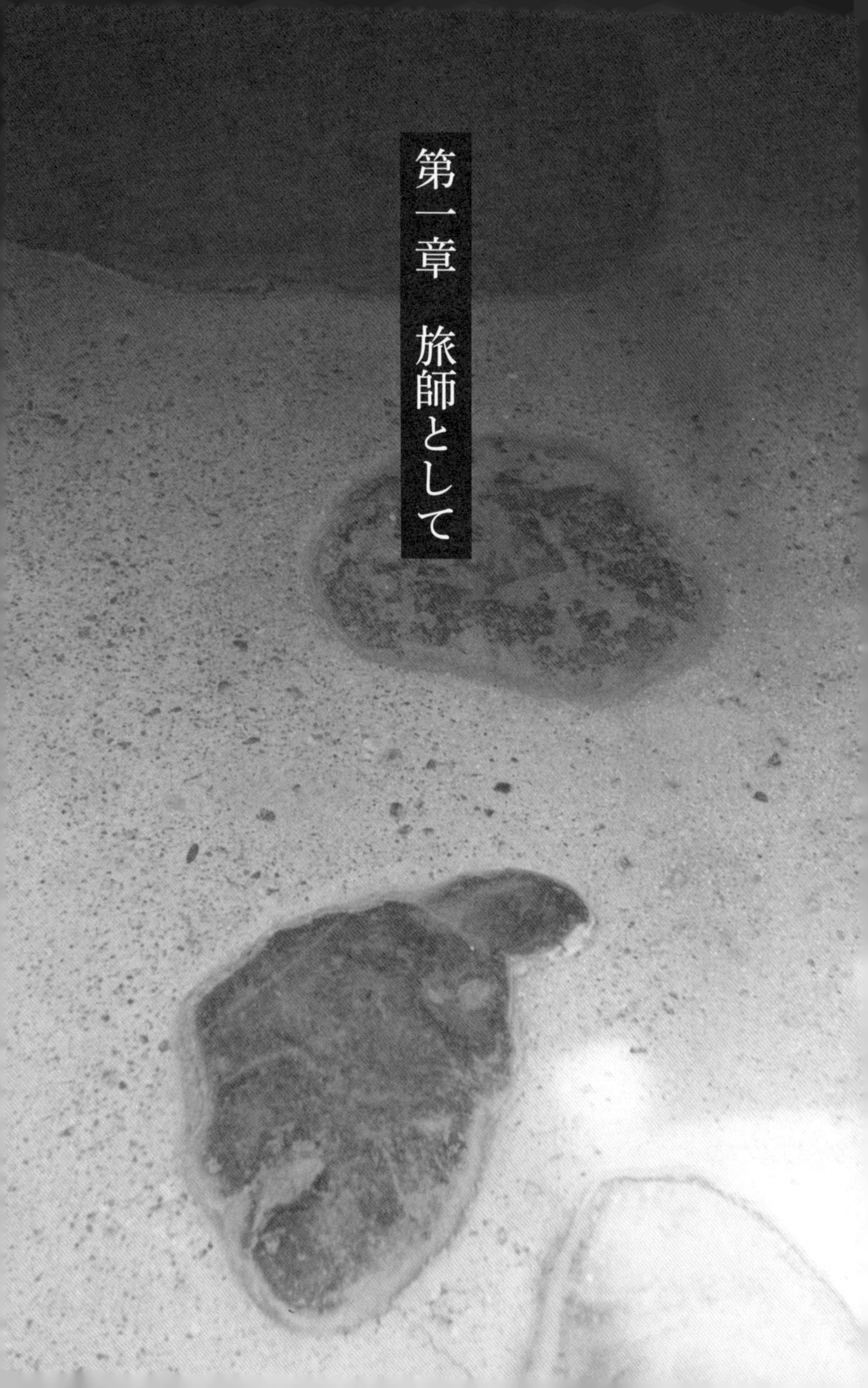

一　奇矯なる旅師として

「奇矯なる旅師」とは、ある新聞のコラムで読んだ、民俗学者赤坂憲雄氏が永井荷風に寄せた卓抜な表現である。

下駄をはき、蝙蝠傘《こうもりがさ》をたずさえ、昭和初期の路地をさまよった荷風。日々の生活が息づく路地の世界に、いかにも小説的な世界を見ていたのであろうというのが、赤坂氏の見解である。

京都の路地にも、独特の風情が漂う。

近代的ビルが建ち並ぶ表通りを、ひとすじも入れば、まったく異なる様相を見せる。植木鉢や洗濯物がせり出した路地を行けば、煮炊きする鍋釜の音に混じり、子どもたちの歓声が耳に心地よい。ときに勝手口から猫が駆け出し、驚かされたりするのも一興である。

そんな濃厚な生活感だけでなく、京都の路地にはそこはかとない美学さえもある。何げなく石畳にまかれている打ち水や、秘めやかにたたずむ地蔵や祠《ほこら》など、忘れかけていた郷愁の風景が随所にある。祇園祭ともなれば、家々の玄関先からさりげなく贅《ぜい》を凝《こ》らした屛風がのぞくことも。

こんな歴史と伝統、そして日常が混交した、豊饒《ほうじょう》な風景が路地に展開される都市は、世界でもそう多くはない。

京都に住まいを求めてから、都大路の片隅に潜む、そんな路地の風情に心ゆさぶられ、小さな旅を続けている。

路地に分け入るとき、悠久の時をこえて、現代まで営々と続く、ほとばしるような庶民の生へのエネルギーが、私の心をとらえて放さない。

耳には、歴史のはざまに消えていった名もなき人々の魂の叫びと、現代をたくましく生きる人のかすかなつぶやきが交錯する。

まさに時空を超えた人間の生のエネルギーの葛藤、脈打つ生の鼓動が今も耳にこだまする。

人間はかつて、もっと活力に満ちあふれ、もっとたくましく、もっと感性豊かに生きていた。現在の京都の表通りを行くときに感じられるような、無機質で画一的な生き方はしていなかったはずである。

猥雑《わいざつ》であり、混沌《こんとん》であろうとも、生への渇望に満ちた強烈なエネルギーこそが、人間の

原初の姿ではないだろうか。また、それこそが、人間がより人間らしく生きるということではないか。そんな思いを想起させてくれる場所が、今失われつつある京都の路地なのである。

現代を生きる私たちは、歴史や伝統と正面から向き合い、また、糸を紡ぐように日々人々との関係を築くことを忘れようとしている。

生への力に満ちた「路地」に、いま一度目を向けてもいい。それこそが、無機質な現代に潤いをとりもどし、さらに多くの方々に京都に足を運んでいただく推進力となるように思えてならない。

二　魂を入れるということ

十月初め、毎年行われている地方公演の文楽を京都府立文化芸術会館で堪能した。とりわけ、戦国時代の武田と上杉の争いに題材をとった「本朝廿四孝」で腰元濡衣《ぬれぎぬ》を演じた、重要無形文化財保持者の吉田《よしだ》簑助《みのすけ》に圧倒された。

情念が人形に乗り移ったかのようで、その様は艶《なま》めかしく、それでいて凜《りん》として、人間以上の豊かな情感を漂わせていた。

無機物である人形に、人間以上の生命力を与えるものとは何か。それは「魂」の存在にほかならない。魂が抜ければ、人間は生きる屍であろうし、魂が入れば、人形は躍動する生命体と化す。その意味では、「ピノキオ」は決して寓話ではないのであろう。

魂が伴わなければ機能しないのは、人形だけではない。企業におけるものづくりも同様である。

無機物である工業製品にも、つくり手の生き様が反映する。たとえば細部に至るまで完璧な製品があるとすれば、それはつくり手が一分のすきもない生き方をしているからである。真摯《しんし》に仕事に向かい、抜を磨き、心を高めてきた生き様が、製品に結実し、人々の感動を呼び起こすのである。

そのためには、どんな作業であっても、全身全霊を捧げ、真摯に取り組むことが不可欠である。一つ一つのささいな作業にさえ、魂を注ぎ込むくらい真剣に打ち込んでいく。そうすることで、現代の工業製品にも魂が宿り、人々の琴線に触れることが可能となる。

無機物にさえ可能なら、有機物である人間や、その集合体である組織に対しては、なおのこと魂を投入することが求められよう。

実際に、企業において、活性化した個人や組織をつくる鍵は、リーダーがいかに語りかけるかにかかっている。言い換えれば、魂のレベルで個人や組織に対峙《たいじ》し、語りかけているかどうかが問われるのである。

リーダーならば、使命感に裏打ちされた、燃える情熱を抱き、その思いを胸中で十二分に発酵させ確かなものとして、遥かな憧れやピュアな夢とともに、メンバーに熱く伝えていかなければならない。

その様は、「魂の語り部」と呼ぶにふさわしい。あるいは、自己のエネルギーを、マグマの奔出のごとく、相手に惜しみなく注ぎ込んでいく行為は、「魂の転移」とさえ言っていいのではないか。

現代の日本社会に欠落しているのも、この魂のレベルで、相手に語りかけ、働きかけていくことであろう。

吉田簑助がその魂を傾注することで、無機物である人形に豊かな命を吹き込んだように、われわれ一人ひとりが、企業の職場はもちろん、教育現場や家庭などにおいて、さらには個々の人間同士のやりとりにおいて、もっと魂を込め、熱く語りかけていかなければならない。

そうすれば、荒《すさ》みいくこの社会は、もっとまろやかで潤いのある、美しく感動的なものとなるに違いない。

三　美の回廊への旅

京都を散策する人にとって、この街は「美の回廊」というべきであろう。国立近代美術館、市立美術館のほかにも、小規模だがすばらしい美術館が市中に数多くある。

一例をあげれば、近藤悠三記念館、野村美術館、泉屋博古館、樂美術館、北村美術館等々きりがない。

その一つに、祇園の四条通りに面し、瀟洒《しょうしゃ》な建物が印象的な何必館《かひつかん》・京都現代美術館がある。

館長の梶川芳友氏は、二十二歳のときに村上華岳の画に出会って、魅せられた。頬を涙がつたい、画の前にくぎづけとなり、閉館を告げる合図さえわからないほどであったという。

その感動を梶川氏は生涯忘れることなく、画商として身を立て、その一枚の画を展示するために美術館を建設したという。

その現代美術館を訪れたのはかなり以前のことになるが、その折の心の高揚を、私はいまだに忘れることができない。

エレベータの扉が最上階で開くと、陽光が差し込む坪庭の前景に茶室が見える。自然光がつくり出す、ほのかな光と陰がゆらめく床の間に、一幅の掛け軸がのぞく。

菩提樹《ぼだいじゅ》のもとで座禅を組む、若き日の釈迦を描いた『太子樹下禅那之図』である。人間の雑念を吸収し、昇華させていく清純なまなざし。慈母に抱かれた安らぎ。そしてほのかなエロティシズムさえ漂う。

この画に魅せられた梶川氏と同じように、私もまた長いあいだ、身動きすることさえできなかった。

この『太子樹下禅那之図』は、華岳の命日である十一月十一日のみ公開される。名品との邂逅《かいこう》を求め、その後毎年のように、現代美術館に足を運んだ。

ある年のこと。老婦人と幼い子どもを交えた一家が、その画に向かって手をあわせているところに出くわした。

華岳のご遺族であろうか。その数珠《じゅず》を手にした祈りの姿に、画家村上華岳の真摯な生きざまを見た思いがした。

「制作は密室の祈りである」と言い、傑作を遺し、五十一歳で世を去った稀代の画家。一

村上華岳「太子樹下禅那」1938年　何必館・京都現代美術館蔵

枚の画との出会いを生涯忘れることなく、その感動を広く共有することを希求し、美術館を建設した画商。

「美」に憑依《ひょうい》された二人の確かな生きざまが、私の心の奥底を激しく打つ。我々が生きる現代が、リンゴの皮のようにあまりにも表層的で、対照的に思えるからである。

情報の海の中を、目的を失って、ひたすら彷徨《さまよ》い、漂い流れていく。このような現代社会において二人の生き方は強烈な警鐘であろう。

一つの道を志し、貫き通す人生。それこそがいつの世にも光り輝いているに違いない。

「我一心《ひとごころ》なり」という珠玉の言葉が耳について離れない。

四　不動なる桜島に想う

幾度、薩摩の地を訪れたことだろう。ことあるごとに鹿児島へ出かける。

鹿児島空港に到着するときには、今も心のときめきを禁じえない。

着陸のために、飛行機が旋回すると窓外にひろがる桜島の姿に見とれてしまうのである。

自然がつくり出した奇跡ともいうべき造形に感嘆するばかりではない。波静かな錦江湾《きんこうわん》にそびえる雄々しい姿に、凛とした人間を見るような錯覚にとらわれ、思わず背筋を正す。ときに視界が悪く、その雄姿を拝めないときは残念でならない。

県外出身の私がそう思うのだから、鹿児島出身の方々なら、さらに強烈な思いを抱かれることであろう。ある知人は「桜島がいつも心の中心にある。見ると安心し、苦しいときの心の支えとなっている」と眼を輝かせていた。

故郷の景色は誰にとっても、心温まり、勇気づけてくれるものである。中国山地に生をうけた私にとって、それは緑なす山々と清き川の流れである。その山紫水明の光景は私の原風景として、ことあるごとに脳裏をよぎる。

しかし、桜島はそんな郷愁を誘う風景を超えて、あまりにも強烈な存在として、高くそびえ立っている。

世の多くの画家たちも、圧倒的な存在感の桜島に魅了され続けた。西山英雄や梅原龍三郎ら著名な画家たちが、さまざまな角度から絵筆をふるった。

なぜ、桜島はそれほど人々の心をとらえてはなさないのか。

「不動」

——私には人々が桜島に何ものにもゆるがないものを感じ、惑わないものを求め、心ひかれているように思えてならない。不動なるものとは、人間が生きていく上で、拠りどころとするものであろう。

生きることは容易なことではない。

人は夢や希望を抱きながらも、迷い、惑い、試行錯誤しながら生きていく。ときに思いがけない事態に遭遇し、絶望し、落胆し、悲嘆にくれることもある。

そんな生身の人間が生き抜くには、心に確固たる基軸を持つことが不可欠である。心に不動の存在があれば、たとえ窮地に陥ろうとも、情熱を燃やし、志を貫き、生を全うし続けることができる。

さきごろ、病を得て、一カ月ほど入院した。その折に、人の生き方について考えさせられた。

私の入っていた病棟には老齢の方が多く、入院しているあいだにも、何人かの方が静かに逝った。一方、隣りの病棟は産科なのか、時折、産声がもれ伝わってきた。

二つの病棟の間には中庭があるが数歩の距離でしかない。生と死はそのわずかな中庭のごとく、遠いものではないことをあらためて実感した。

儚《はかな》い人間の生をドイツの詩聖ゲーテは次のように表現している。


時間の羽ばたく翼は何と素早く一日一日を刻々と終わりへ追い

立てることか！

優しく過ぎていく一時間、一時間は姉妹のように似てはいるが、やはり違う別の一時間なのだった。


短い人生であるからこそ、限られた時間を、精いっぱい生きていたいと強く願う――そうであるならば「人生イコール時間」だと考えるべきではないだろうか。

一瞬一瞬の時をより濃厚な時間にすべく、懸命に生き抜いていかなければならないと強く思う。

そんな懸命に生きる人々に、いかなるときも確かな導きと励ましを与えてくれる、人生の道標が必要である。

それが、先に述べた不動の存在であり、鹿児島の人にとっては、生きる原点としての桜島なのだと思えてならない。

実際に明治維新で薩摩の人々が成し遂げた偉業を思うなら、人智を超えた不動の存在を抜きには考えることができないのである。

また、この不動なる存在は、今も薩摩人の心に、しなやかで真っすぐな心根を育んでいるものと推察する。

政治も経済も先行きが見えない混迷の時代を貫いて、新しい未来を築くことができるのは、おそらく確固たる不動の基軸をもった人材であろう。不動なる活火山は今も、次の時代を開く人物が輩出することを、じっと待っているに違いない。

五　「文の国」から大いなる発信を

幼いころ、叔父が「小説新潮」を定期購読していた。それをのぞき見ていて、「里見弴《とん》」という名前に興味を持ち、いくつかの短編を読んだことがある。

また、有島武郎、有島生馬、里見弴の三兄弟の存在については知っていた。しかし、あるとき鹿児島の薩摩《さつま》川内《せんだい》市にある「川内まごころ文学館」を訪ねる機会があり、自らの不明を恥じた。

薩摩川内は有島三兄弟の精神を育んだ地であるうえに、雑誌「改造」などの出版で、日本近代文学史に大きな足跡を残した改造社社長・山本實彦の故郷でもあった。

仕事の関係で薩摩川内市にはしばしば訪れていた。そのたびに私はある距離感を感じていた。それは、中央文化圏からの物理的な距離ではなく、文化的な隔絶感のようなものであった。

　ところが実は鹿児島は、日本の近代文学において、抜き差しならない影響を与え、重要な役割を担った人物が輩出していたのである。薩摩の国は「文の国」でもあったのである。そんな代名詞がふさわしいのは、風光明媚《めいび》な自然とともに、重厚な歴史があったからに違いない。

　この地は古く飛鳥時代には国分寺や薩摩国府が置かれ、大伴家持が国司に任命されている。大陸との交易も盛んな港湾があり、東シナ海へ抜ける川内川を中心とした、雄大な自然の中に築かれた貿易都市でもあった。

　都から遠く離れても、決して鄙《ひな》の地ではない。遠くはなれた都の情報はなんらかの形でもたらされ、理解していたにもかかわらず、それらに惑わされることなく、自分たちの基軸をしっかりと持って生きていたのではないか。

　権力をめぐり、権謀術数がこらされ、生活も華美に流され、遊興に流されることの多い都に比べて、安らかで豊かな人間らしい生活をおくることができたのではないかと推察するのである。

　そのような風土であるからこそ、真に豊穣な文化が花開き、高邁《こうまい》な精神が人々の心に育まれていったのであろう。だからこそ、近代に至って、有島家の三兄弟も山本實彦も、生まれたのではないか。

これからの日本を考えるとき、そのような精神風土がさらに大切なものになると考えている。なぜなら今はまるで「リンゴの皮」のような皮相的な文化がはびこっているように思うからである。中身のぎっしりとつまった、成熟した精神の横溢《おういつ》がみられる果実こそが求められるべきである。

自分の足で歩き、眼で見て、頭で考えることをしない、そんな社会に哲学を求めても、難しい。薄っぺらな思想の社会には、おのずから限界がある。

世間をにぎわせるさまざまな出来事はもはや末期症状の様相を呈し、根本的な治療が急務である。しかし、特効薬はない。現代を生きる、私たち一人ひとりが自己のあり方を見直してかかることからしか、現状を改めることはできない。

星空を見つめ、願いをかけることもいい。大海原のかなたに目をやり、遠い世界に思いをはせることもいいであろう。一人ひとりが立ち止まり、ものごとの本質を見すえ、とらえ直していくことである。それは、人間としての「原点回帰」運動といっていい。

そのような静かな胎動は、都会から始まるのではない。豊かな自然と、深遠な歴史・文化が重層して織りなした土壌からこそ、新しいうねりが始まっていくのではないだろうか。

大都会からは、これからも浅薄な情報が絶えず発信し続けられることであろう。都会の大声に抗して、小声でもいい、人間にとって本当に必要で有益な情報を、地方から地道に発信するときがきている。

里見弴はまごころの作家と呼ばれた。〝まごころ〟とは「ありのままの自分を真っすぐに生きる心」であると言う。そのような心根をＤＮＡとして持つ、地方への期待はさらに高まることであろう。

六　人材は群生する

鹿児島県の加治屋町を訪ねるたびに「人材は群生する」ことを実感する。西郷隆盛、大久保利通をはじめ維新の戦いを勝利に導き、新時代を拓いた明治の元勲たち、さらに西郷従道《つぐみち》や東郷平八郎など、国家の躍進期に大功をなしとげた武人たち。あの狭い区域から、日本に新しい息吹を吹き込んだ偉人たちが、綺羅《きら》、星のごとく輩出した。おそらく独特の「磁場」が、当時の加治屋町内に、ひいては薩摩の地に流れていたものと思う。

このたび、あらためて加治屋町を訪れ、驚嘆の思いはさらに深まった。

それは、明治・大正の洋画界に新風を吹き込むとともに、日本を代表する挿絵画家としても有名な、橋口五葉がこの街の出身と知ったからである。

それだけではない。鹿児島市立美術館など市中の美術館をいくつかめぐり、さらに認識を新たにした。

明治以降の日本の近代洋画史をかざる進取の精神に富んだ画家たちが、鹿児島から輩出しているのである。

まず、先覚者・黒田清輝をはじめ、藤島武二、和田英作がいる。さらには、二科会の創設者・有島生馬、東郷青児、海老原喜之助、山口長男などの俊英がつづく。

彼らに共通することは、すべて時代の変革者としての存在である。江戸期以来の伝統的日本画からの脱皮、初期洋画界の改革、保守本流の画壇への反発等、すべて新しい地平をめざした変革者として位置づけられる。

武の世界のみならず、美の世界でもこの地が果たした功績は計り知れない。これは芸術における明治維新に匹敵するともいえよう。

なぜ薩摩に、美の風土が育まれていったのか。

美の世界とは、創造主がつくられた完全調和の世界を写し取り、新たな境地を加え、自然をも超えた世界を表現していくものである。そのために、美の世界の使者である画家自身に、高い精神性が求められる。

つまり、高邁な使命感、目的を完遂する強い意志、苦労をいとわない覚悟、さらには人間に対する優しいまなざしなど、優れた人間的資質が必要となるのである。そのために、無の世界から新たな形、想像をはるかに超えた形象を生み出す高い精神性があるところにこそ、真の美が育まれていくのであろう。

そのことは、画壇にとどまらない。私は苗代川あたりを訪れ、薩摩焼の名品に接するたびに、その深い美に魅了されずにはいられない。これも恐らく作陶にあたった作り手の高い精神性の賜物であろう。

豊臣秀吉によって連行されてきた陶工たちは、祖国を失った絶望感や諦観をいつしか、清らかな使命感や旺盛な創作意欲に変えていった。

暗い想念の淵から、強大な負のエネルギーを転換して、こころを揺り動かす珠玉の作品をつくりあげていったのである。やはり、高い精神性こそが、作品に深い美を与え、見る者のこころに大きな感動を呼び起こすのであろう。

七　人情したたる街づくりを

全国各地の都市によく出張する。その折にいつも思うことの一つに、日本全国、どこの街を訪ねても、同じ風景が立ち並んでいるということがある。

駅前には銅像を中央にロータリーがあり、バスとタクシーの乗り場が併せてある。周囲には、デパートやオフィスビル、ビジネスホテルが建ち並び、目につく看板は、全国共通のファストフード店やコンビニエンスストア、サラ金のもので、ほとんど同じ意匠である。

街並のみならず、人の姿も変わらない。ファッションや女性の化粧に至るまで、道行く人のいでたちに違いはなく、全国どこでも画一的である。

徹底した合理主義、商業主義のもと、都市や文化の画一化が急速に進み、すでに日本全国の街の表情に、ほとんど違いは感じられない。

気候、地理、歴史、また人情が異なり、本来はその土地特有の風情を見せていたはずの街並や人々が、その特徴や多様性を失ってしまった。そのありさまは、光彩を放ち艶やかな色彩を誇っていた万華鏡の世界が、くすんだモノトーンの世界に一変してしまったかの

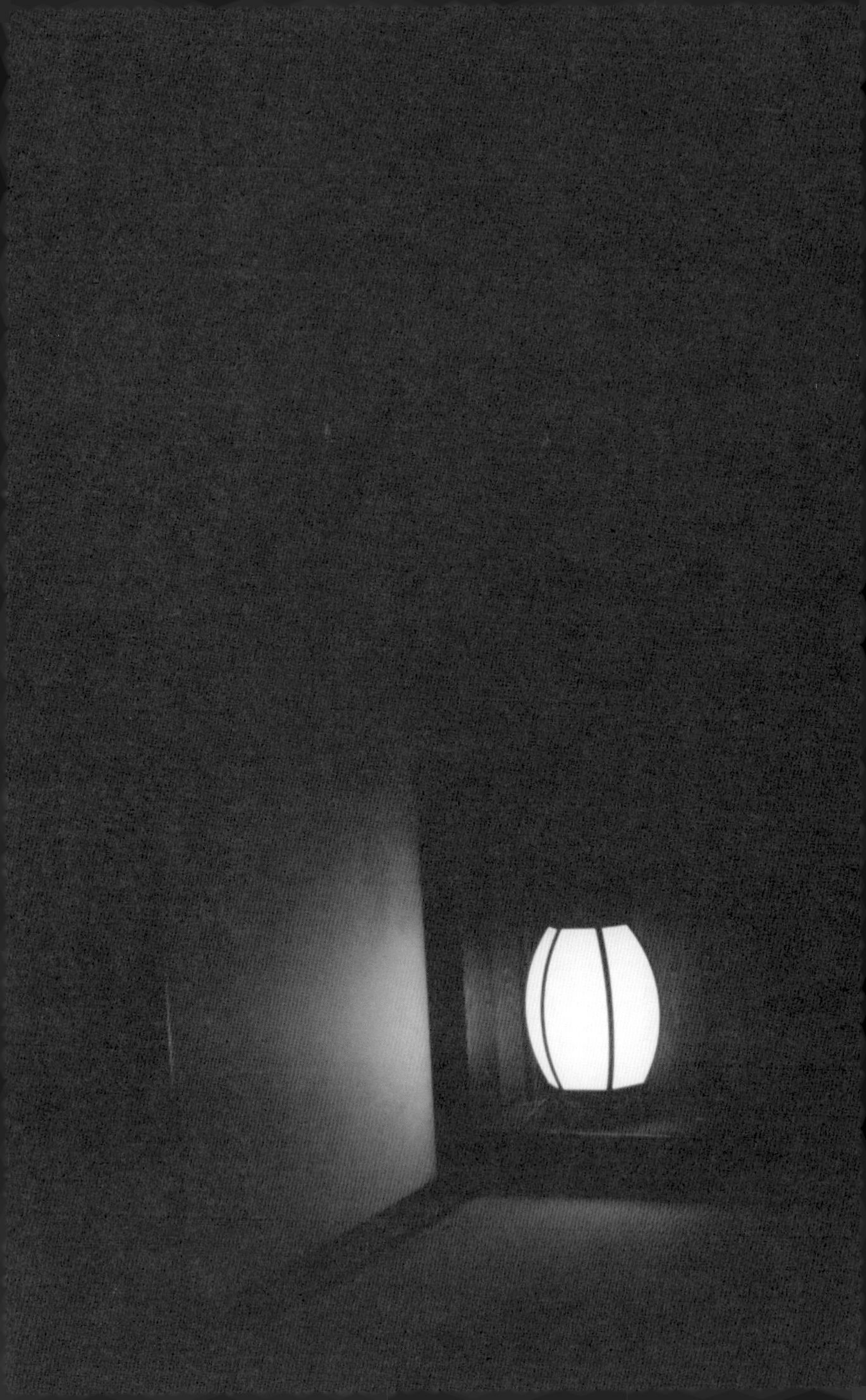

ようだ。

多くの絵の具を混ぜ合わせれば、もとの美しい色は死んで、澱《よど》みのような灰色となり、ついには暗色に沈んでしまう。多彩な色を乱雑に混合したり、無理に単一色にする必要はない。多様な存在を認め、ただその組み合わせを考えればよいのではないか。

たとえるなら、ステンドグラスでいい。それぞれの色は消えることなく、独立して存在し、それでいて、全体が素晴らしいバランスを保ち調和する美しさ。

私は、ステンドグラスのような多様性を許容する中から醸し出される独特の風情こそが、本来の都市の文化であると考える。

所用のついでに鹿児島市役所近くにある、「名山堀《めいざんぼり》」を訪ねた。

オフィスビルなどが建ち並ぶ一角に、忘れ去られたかのように、木造三階建ての古い家屋が並んでいて、戦後まもないころの街並を再現した映画のセットに迷い込んでしまったかのような錯覚にとらわれた。庶民的な居酒屋や飲食店が軒を連ね、狭い路地には店の看板や洗濯機、植木鉢などが無造作におかれ、ふと見上げれば、洗濯物が所在なげに風に揺れている。

画一化が進む、現代の都市の風景に対する、アンチテーゼであると思った。

「名山堀」はその地から、かつて桜島の絶景を望むことができたことから命名されたという。その名のとおり、もともとは堀であったが埋め立てられ、戦後、大陸からの引揚者向けの長屋が建設され、それが現在の街並の原型であるという。

ある一品料理屋の暖簾《のれん》をくぐる。数人も入れば満席になってしまうカウンター。よそ者に気づかうことなく、女将は焼酎のお湯割りを出し、なじみの客との話が続く。

私は、「名山堀」の街並から、また店の雰囲気から、母の懐に抱かれたようなぬくもりと、絞ればぽたぽたと落ちてくる熱い人情味を感じた。

それらは、人間が人間らしく生きていくのに不可欠なエネルギーであり、無機質な日常の風景に温かい灯をともしてくれる、都会のオアシスであると思った。

都会の再開発という美名のもと、人が人らしさを発揮してきた古き善き界隈が、日本全国の多くの都市から姿を消していこうとしている。

いま一度、私たちは、各地に残る旧市街の意義について考えるべきではないだろうか。たとえ歴史的価値はなくとも、その街並が有する、人々のこころを癒してくれる精神的価値を認めなければならない。

「名山堀」を保存しようとする有志の動きがあるとも聞く。こころを潤わせ、勇気づけてくれる街の灯を消さないでいただきたいと切に願う。

無駄な道路をつくることに躊躇《ちゅうちょ》する時代になった。同様に、画一的な街づくりもいらない。

今、行政の基準が問われている。その新しい「ものさし」とは、生活者としての人間への心配りなのであろう。

八　社会を変革する心

『アール・ブリュット〝生《き》の芸術〟』と題された作品展を、滋賀県近江八幡市で見た。アール・ブリュットとは、別名アウトサイダー・アートともいい、全世界で評価を高めつつある。芸術家としての専門的な教育や訓練を受けず、また芸術にかかわる常識や知識にこだわらず、さらには芸術分野の慣例からは自由に、さまざまな制度の枠の外という意味で、アウトサイダーなのであろう。

私はその会場に足を運び、作品群を前にして、心底驚いた。そして会場を後にしたときは大きな感動に包まれていたのである。

それらの作品はすべて、発表や公開、または販売することを前提としてはいない。ましてや、自己の才能を見せびらかしたり、誇らしげにすることや、名声を得たいなどという邪心から制作されたものでは決してない。

かつての漂泊の画家・山下清にも通じることであろう。あらためて私は人々に感動をもたらす芸術とはどのようなものか、ということを教えられた。

一つ一つの作品が醸し出す純粋性が私の心を揺り動かしたものであろう。そこに作り手の心のありようがそのまま映し出されている。つくりたいからつくる、描きたいから描く、そのストレートな欲求や動機から、作者たちは何日ものあいだ休む間もなく絵筆をとり、粘土を練り続けることさえあるという。

創造というものに対するピュアな心のありようをそのままに投影した作品であるからこそ、見る者の心の琴線を、激しく打ちふるわせることになるのである。

いかに偉大な芸術家であろうとも、商業主義の埒外《らちがい》に存在することは難しい。作品の価値は純粋な評価によるべきだが、やはり金銭的な価値で測らざるをえないのも現実である。そうした事情から、評論家や画廊の意向を完全に無視することはなかなかできるものではない。

ところが、他者からの評価、拘束性からまったく自由でいられるのがアール・ブリュットの作者たちである。他者の視点を排し、自分を完全にむなしくした創作こそを、その姿勢としているからにほかならない。

彼ら、作者たちを突き動かしているのは、純粋に自発的で、謙虚な、「無私」という名の創造の神なのである。彼らは、その神の棲む泉から、一切のフィルターを排し、源泉を直接汲みあげることができるのである。真の独創性とはこうして築き上げられていくものであろう。

「無私」ということが大切なのは、芸術・美術の世界においてばかりではない。利己的な主張ばかりがはびこり、その弊害が叫ばれる日本の社会においてこそ、希求されるべきだろう。殺伐としたこの時代に、改めて、利己心の過剰が戒められなければならないと思う。

明治という新しい時代をひらいた変革者は、西郷南洲をはじめ鹿児島は加治屋町に生まれ群生した幕末の志士たちであった。彼らを駆り立て、時代を動かしていった原動力は私利・私欲ではない。わが身を捨ててでも「この国をよくしたい」という、きわめて純度の高い願望であった。

己をむなしくして、周囲のため、万民のために生きること、それが今、この国に最も欠落していることである。

この状況は一朝一夕に回復することはできない。まずは一人ひとりが、自分にこだわらない行動を身近なところから始めることが第一歩であろう。そのような地道な活動は、アール・ブリュットの作品と同じく、きっと人々の心に感動の波を呼び起こしていくに違いない。

文明開化に酔いしれる時代に「政府の姿勢を糾《ただ》す」ことを命題にかかげて戦った西南戦争は、志半ばに終わった。今こそ現代の社会の姿勢を糾すための心の戦いを、始めなければならない。

第二章　秘められたものを見つめる

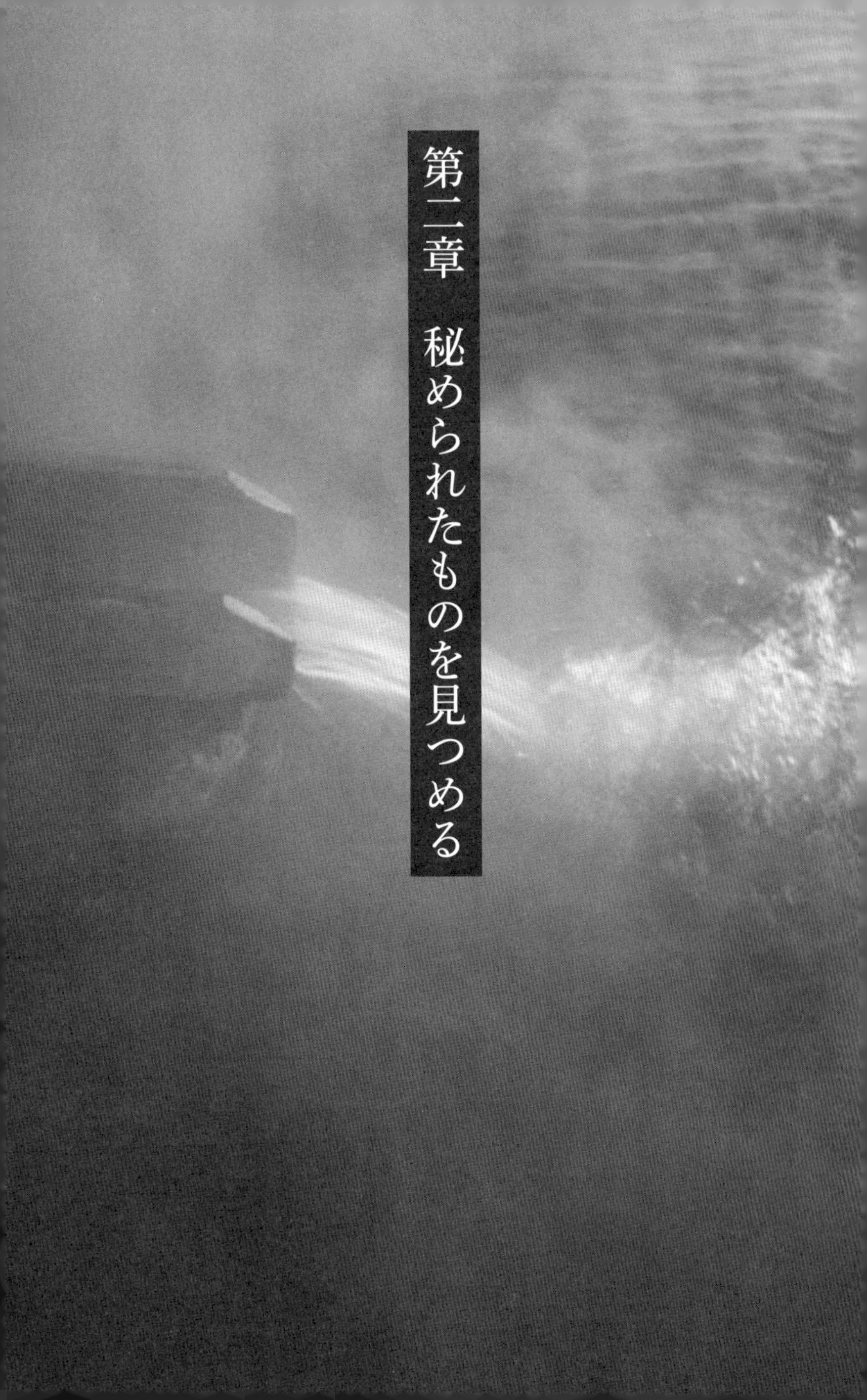

一　地球はそこから深あく欠けている

高校時代から、詩人村野四郎（一九〇一〜一九七五、一九五九年『亡羊記』で第十一回読売文学賞受賞）にひかれ続けていました。

ある雑誌の文芸欄に、私の詩が掲載され、その選者が村野四郎であったという、単純な理由がきっかけです。

今も、私の本棚には、古ぼけた村野四郎の詩集が数冊眠っています。特に好きだった詩は、次のようなものでした。

さよならあ　と手を振り
すぐそこの塀の角を曲って
彼は見えなくなったが
もう　二度と帰ってくることはあるまい
塀のむこうに何があるか

どんな世界がはじまるのか
それを知っているものは誰もないだろう
言葉もなければ　要塞もなく
墓もない
ぞっとするような　その他国の谷間から
這い上ってきたものなど誰もいない
地球はそこから
深あく虧《か》けているのだ

（詩集「塀のむこう」『亡羊記』所収）

晩秋の休日、何十年ぶりかに、ボロボロになった彼の詩集を手にし、何度も読み返しました。「塀のむこう」には、一体何かあるのでしょうか。

そんなことに思いを馳せて歩いているうちに、不意に、閑静な住宅街が私の目の前に現れました。

人の気配も物音さえもなく、空気は沈んで動きません。長い塀に沿って歩く。右に曲がると、思いがけず深い井戸がありました。地球の裏側にまで抜けているのでしょうか。はるか暗黒の底から黒い風が吹き上がり、幽かに死者の祈りの歌が聞こえてくるよう。
私は、鎮魂歌に誘われるように、本を片手に小さな小さな旅に出ました。

夕暮れが迫り、冷たい風に落ち葉が舞っています。どこをどう歩いてきたのでしょうか、迷宮に彷徨《さまよ》い込んだようでした。ケヤキ、ムク、エノキ、イチョウ等が生い茂る、そこは広大な神社の境内でありました。人の気配はなく、野鳥の声さえ聞こえてきません。
薄暗い参道の先に、人影のようなものがたたずんでいます。背中に冷たいものを感じながら近づいていきました。
人ではなく、かかしのように一本足で立っている案内板でした。顔を近づけてみますと、京都下鴨神社の由来、そして歌が一首したためてあったのです。

石川や瀬見の小川の清ければ
月も流れをたづねてやすむ
（鴨長明『新古今和歌集』）

鴨長明は、下鴨神社（賀茂御祖神社《かもみおや》）の禰宜鴨長継の次男であり、俊恵《しゅんえ》門下の歌人でもありました。

「行く河の流れは絶えずして、しかも、もとの水にあらず、淀みに浮かぶうたかたは、かつ消え、かつ結びて、久しくとどまりたる例《ためし》なし」

有名な『方丈記』の作者です。

暗さを増していく気配の中で、そばを幅一～二メートルの小川が流れています。長明ゆかりの下鴨神社の境内を流れる、瀬見《せみ》の小川です。

川瀬が夕闇を幽かに揺らしています。私は声にならない声をあげました。

欠け始めた月が雲間より迷い出て、木々の間を抜け、瀬見の小川に浮かんでいます。それは、「月が訪ねてきた」というにふさわしい情景でした。鈍く輝き、あまりに神々しく、身震いするような美しさ。

私は身じろぎもせず、ながめ続けました。そして思いが湧き上がってきます。村野四郎が、

　地球はそこから

深あく虧けているのだ

と書いたように、小川に浮かんでいるのは、月ではなく地球を突き抜ける井戸であり、穴ではないでしょうか。

深い深いその底には、死者の棲む世界があるのかもしれない。小川に浮かぶ月の姿の中から、死と生が混濁した、不思議な匂いが湧き上がってくるかのようでした。

長明は、源平の争乱の中で世を捨て、方々をさすらい、京都の東南に位置する日野の山中にある岩上に庵を結び、〝終《つい》の栖《すみか》〟とします。生涯を終えた庵は、わずか一丈四方の(約三坪)、掘っ建て小屋でした。

ちなみに、日野は日野富子や、元弘の変で処刑された、日野資朝《すけとも》の出生の地であるという。私はどうしても、長明の庵跡を訪ねたいと思いました。

十一月の京都は、さすがに冷え込みます。

「今年の紅葉は温暖化でよくないですね。紅くなる前に枯れてしまいそうです」

タクシーの運転手の言うように、日野の里は、すでに枯葉色に染まっていました。車は、農家や寺が散在する、細い間道を、のろのろと山のふもとへと登っていきました。

「これ以上は、車では無理です」

と運転手が言うあたり。

「鴨長明、方丈石まで三〇〇米」と刻まれた小さな石碑が立っていました。

その先には、岩がむき出した峻嶮《しゅんけん》な山道が、小高い山の頂きに向かって続きます。獣道といっても過言ではありません。

恐る恐る歩を進めました。両側から覆い尽くす木々で、トンネルのようになった坂道は薄暗く、今にも山ひるや蛇が襲ってくるように思えるのです。

何度も、首筋や足元を確かめ、得体の知れない怖《お》じ気《け》を感じながら、やっとの思いで、方丈石にたどりつきました。それは、木々の狭間にひっそりとありました。

長明が庵を結んだ方丈石の上に私は立ちつくしました。

土地の古老の話では、かつては木々はまばらで、澄んだ空気のなかで、月がよく見えたと言います。長明は、どのような思いで、月を眺めたでしょう。私は、瀬見の小川の瀬に浮かぶ、清冽《せいれつ》で孤独な月を想いうかべました。

深夜、自宅の小さな庭で。

漆黒の天に満月が浮いています。それは、遥かな宇宙に空いた巨大な穴のように見えました。その深ぁい底から、生死を超えた「魂」の幽かな調べが、哀感を帯びて聞こえてくるようでした。

二　山峡の宿に粉雪が舞う

岡山県の北部に位置する、奥津温泉を初めて訪れました。

二月の湯の里は、煙るような深い霧に包まれ、山峡の底にひっそりと沈んでいました。

旅館は三軒だけという。その一つ、由緒ある河鹿園に宿を求めました。

通された部屋は吉井川に面し、川面を震わす淡い冬の陽が、透き通った気配を部屋に落としていました。

霊峰大山から注ぐ、澄み切った清流は、小石に寄り添う小魚の影さえ、鮮やかに映しています。

深い静寂を幽かに揺らすように、秘やかな瀬音だけが、山あいに響いています。

そして、ふと安らぎの深いためいきをついた私は、この奥津温泉を舞台とした、直木賞作家藤原審爾《しんじ》の名作『秋津温泉』の世界を彷徨い始めました。

奥津温泉は、小説では次のように描かれています。

この秋津がもっている深い教養のような落ち着いた気配に、一度この町を訪れた人々は誰も魅せられてしまうらしかった。だからふりの湯治客よりも、例年冬を越しに来る画家とか、夏の盛りに子供連れで訪れる大学教授の一家などという、この温泉そのものより町の気配のよさに惹かれて訪れる人々が多かった。

実際に、与謝野鉄幹《よさのてっかん》・晶子《あきこ》夫妻や棟方志功《むなかたしこう》など文人墨客が、たびたび奥津温泉を訪れています。魅力の源泉は、ここに潜んでいるのでしょう。

『秋津温泉』は、藤原審爾が昭和二十二年、二十六歳のときに書いた小説です。母が藤原審爾と遠縁にあたるため、幼いときから、「親戚に作家がいる」と聞かされていました。

ちょうど中学生くらいのときでしたでしょうか。母から「読んでみたら」と渡されたのが、小説『秋津温泉』でした。勧められるまま一気に読んでしまいました。『秋津温泉』は、藤原審爾の代表作で、透明感のある叙情性に惹かれ、私はぜひ舞台となった奥津温泉を訪ねてみたいと思ったのを覚えています。

しかし、すぐには願いは叶わず、その後、小説を読み返すたびに、私はその清澄な世界を彷徨い、心の中で奥津温泉への憧憬の思いを募らせてきました。

憧れをさらに鮮明なものにしたのは、映画でした。

小説『秋津温泉』は、昭和三十七年に、名匠吉田喜重監督、主演岡田茉莉子、長門裕之で、映画化されています。

小説にほぼ忠実に、映画は東京育ちの文学青年と温泉旅館の娘との間に繰り広げられる恋模様を、哀しいまでに情感たっぷりの映像で描き出しています。

昭和二十年、終戦の夏、一人の作家志望の青年が結核を患い、死を覚悟して、秋津（奥津）の湯治場を訪れ、美貌の宿の娘に心奪われ、道行きを懇願するが、逆に助けられます。

青年は岡山から東京に転居し、結婚をして子供さえもうけるが、その後もたびたび秋津を訪ね、情を重ねていきます。

待ちわびる女性の一途な愛をよそに、男は自堕落に生き、深い霧に誘われるように、また女の情念に迷うように、秋津温泉を訪ねます。

添い遂げられない女にとって、唯一心の支えとなっていた温泉旅館も、次第にさびれていき、やがて人手に渡ってしまいます。

久しぶりに秋津を訪ねた男に、こんどは女が道行きを懇願しますが、男はそれを振り切

り、秋津を去ろうとします。

女は、清流の傍らで手首を切ります。冷たくなった体をかき抱いた男は、初めて女の愛と生の真実を知ることになります。

河畔にたたずむひなびた旅館、山峡を舞う粉雪、谷間を流れる深い霧が、光と闇の映像世界を、鮮やかに紡ぎ出しています。

岡田茉莉子が見せる白いうなじと黒髪、蝶のようにとまる赤いかんざし。それは、燃えさかる愛と情念のしるしでした。

映画は、山あいの湯治場に流れる、透明な空気までをも映し出すかのようでした。

断ち切れない男女の愛が、湯治場の湯煙のように立ち上り、澄み切った静寂の中、谷川から湧く霧のように、映画は淡く結びます。

何と美しい映像か、私は吉田喜重の世界に酔いしれました……。

「この部屋には、藤原審爾さんや岡田茉莉子さんもお泊まりになりました」

部屋に案内してくれた、上品な河鹿園の仲居さんが説明をしてくれました。

「毎年、この時期には、奥津は五十センチくらいの雪が積もり、たいへん風情があるのですが、今年は残念です」

松崎天民という地元出身の作家の歌を小さく口ずさみました。

奥津湯の情あつきに一夜寝て
　雪に明けたる今朝のよろしき

私は川の流れに静かに視線をさまよわせながら、幻影の世界へと歩み始めました。深い雪におおわれた、透明な山あいの湯治場の空気のなかで、哀感を帯びて、繰り広げられる物語に、しばし酔うように体を委ねたのです。

翌朝、かすかに屋根を打つ音に目覚め、カーテンを開けると、白い無数の糸が、川面にそそいでいました。

粉雪でした。

美しいと心の底から思いました。

まだ覚めやらぬ朝の気配の中で、生と死について、私は思い続けました。

三　魂は蝶のように

十数年ほど前のことです。

四月初頭の土曜日、私は仕事を終え、帰途につきました。陽はすでに落ち、京都は春の宵の風情を漂わせていました。ふと、円山《まるやま》公園に立ち寄ることを思い立ちました。

円山公園は、「祇園枝垂れ《しだ》」と呼ばれる、巨木の枝垂れ桜で有名です。花盛りの土曜の夜だけに、人出は予想されました。しかし、私の足は誘われるように、円山公園へと向かう八坂《やさか》神社の参道をたどっていきました。

果たせるかな。ライトアップされた枝垂れ桜の大樹の周囲は、屋台の匂いが漂う中、記念撮影に興じる家族連れやカップル、酒宴まっただ中のグループなどでさんざめいていました。

ときは春――しかし、桜を静かに眺めている人は思いの外少なく、私は雑踏をよそに一人、満開の枝垂れ桜に近づいていきました。真下から見上げると、桜の花が一斉に私に迫ってくるような感覚にとらわれ、それはあたかも、薄紅色の蝶の群れが、私をめがけて群

らがってくるようでした。

私は、桜を見るとき、いつもある小説の一節を思い出します。

「桜の樹の下には屍体が埋まっている」

天折の作家、梶井基次郎の作品『桜の樹の下には』の冒頭です。桜は、人間の情念を肥やしにして燃えるように咲きます。それは地中に埋められた人間の魂が華麗な花を結ばせ、やがて蝶の群舞となり、観る者に胸騒ぎを覚えさせるから――そんな花見の余韻は、床に就いても、いつまでも風鈴のように私の心の中で揺れていました。

翌朝、午前五時くらいのことです。妙に胸が苦しくなり、私は起きあがり、ベッドの上に正座しました。少し休めば、収まると思いましたが、胸苦しさは一向に変わりません。思い直してトイレに入り、寝室に戻ってきたところ、突然、胸に鋭い痛みが走り、同時に、自分が崩れていくのを感じていました。

倒れていく途中で、ベッド脇の棚に頭を打ち付けたことを覚えています。床に横たわりながら、家内が救急車を呼んでいたことも鮮明に記憶していました。さらには、肩を抱かれ担架に乗せられ、救急車で病院に向かったことまでも、脳裏に刻まれています。

日曜日の早朝のこと、病院の手配がつかないで、ようやく私の会社近くの私立の総合病院が受け入れてくれました。後で分かったことですが、病院に入るまでに一時間ほどが経過していたようです。

病院に着きますと、すぐに検査が行われ、私はＩＣＵ（集中治療室）に移されました。カテーテルの管が体に通され、緊急治療が始まりました。どれくらいたったことでしょう。突然、心電図を見ていた医師の「止まった！」という声が集中治療室に鳴り響きました。同時に、白衣を着けた医師や看護師の動きが急にあわただしくなったのです。

本当に不思議なことに、私には、そんな集中治療室の動きが手に取るように見えていました。私は心肺が停止していた上に、目はマスクで完全に覆われていたはずです。それなのに、なぜ見えたのか、今もって分かりません。しかし、さらに不可思議なことは、心臓が停止した後に、私は例えようのない恍惚《こうこつ》感に包まれ、えもいわれぬ甘美な、エクスタシーの世界を漂い始めていたのです。

眼前に広がる風景は、豊穣で幸福感に満ちていました。はるかかなたへ真っ直ぐに貫く道、両側には満開の桜並木。小鳥のさえずりが心地よく響く――そんな花薫る一本道を、私はゆったりと歩いていました。お世話になった恩人や知人、そして家内もみんな一様に笑みを浮かべ、ともに歩を進めている――この上ない幸せな風景のなか、たゆたうように一匹の蝶が翔《と》んでいました。

「ああ、こんな素晴らしい心地よい世界があるのか。いつまでも歩き続けたい」、そう思った瞬間でした。いきなり衝撃が走りました。停止した心臓を復活させようとする電気ショックでした。「なぜ、このエクスタシーの世界に留まらせてくれないのか」、私は憤怒の念に駆られました。

しかし、すぐに甘美な世界が戻ってきました。やはり、咲き競う桜並木の道を恍惚感に浸り、歩き続けていました。だが、またもや激しい衝撃が襲い、再び幸福な世界から引き戻されました。そんなことがもう一度、つまり三回目の電気ショックで、乞い願った甘美で豊穣な世界から完全に駆逐されました。蘇生したのです。

「幽体離脱」というのは、体と魂が分離することです。実際に、肉体から抜け出た魂が、自分の肉体を上空から眺めていたという経験を、多くの人が語っています。それは、あたかも蝶が花の周囲を舞うように、魂が肉体の周囲を浮遊しているのです。私も自身の経験から、「魂」の存在を実感しました。

未踏の地であるはずが、「来たことがある」と思い、驚くことがままあります。前世で、魂が体験したことなのでしょうか。また、「虫の知らせ」や「物の怪の気配」、さらには「言霊」に至るまで、この世には、証明できないが、確かに存在するものがあるように思えてならないのです。

詩人、安西冬衛の詩があります。

「てふてふが一匹韃靼《だったん》海峡を渡っていった」

一匹の蝶が、鈍色《にびいろ》の日本海の波濤《はとう》を越えて翔んでいく様を一行で謳っています。その「蝶」の姿は、人生という大海原を懸命に生き抜く、人間の様に似てはいないでしょうか。私には、それが生と死の狭間を翔んでいく、孤独な人間の「魂」の姿に見えるのです。

四 「神」を見たか？

二十年以上前のことです。

氷雨降る森閑とした京都・下鴨神社の境内を、杖をつきながら散歩する、豊かなあごひげをたくわえた黒マント姿の老人が目にとまったのです。晩年の湯川秀樹博士でした。

誰もいない参道の中央で立ち止まり、かなり遠方から神殿に向かって深々と一礼されました。それから、ゆっくりと身を起こされ、しずかに歩み去って行かれました。

その一瞬の光景に私は心をうたれ、その後もその姿が脳裡を離れないのです。

湯川秀樹博士は一九四九年に「中間子理論」で日本人初のノーベル賞を受賞された世界的な物理学者です。現代科学の最先端にある人物が、神に対して敬虔《けいけん》な祈りを捧げる姿に深い感動をおぼえました。物理学者と神社という、いわば「合理性」と「精神性」ともいうべき相対する二つの要素が矛盾することなく、ひとりの人物に混在していることに感銘を受けたのです。

「科学」と「宗教」、「合理性」と「精神性」とは対立し、相矛盾しているように見えるけれども、どちらか一方でも欠けてはいけないものであるということに気づきました。世界的な発明発見や独創的な業績をあげた人を見ていると、我々常人には思いもつかないようなことが一体どのようにしてできたのか、なかなか理解できません。湯川博士の敬虔な祈りの姿を見て、「創造的なことは、人智を超えた『神』の領域にある。画期的な業績をあげるには、その『神』の領域に足を踏み入れる必要がある」と考えるようになりました。

創造的な領域で成功を収めていくには、「合理性」が求められます。正しい知識に基づいて、合理的なプロセスをへて、論理的にものごとをおしすすめるべきです。しかし、合理性だけではどうしても真の創造的な領域にまで到達することができません。「創造的」であるためには「精神性」にうらうちされた、いわば「哲学」を身につける必要があります。そのような人だけが真の創造の世界、つまり「神」の領域にはいることができ、その果実を獲得することができるのではないかと思うのです。

湯川博士は実は少年時代から中国古典に親しんでこられたようで、「中間子理論」も中国の古典『荘子』にある説話が刺激になったといわれています。また詩歌にも通じ、素晴らしい歌を数多く残しています。さらには、人類の未来を憂慮し、アインシュタイン博士たちとともに反核兵器運動に取り組まれるなど、社会活動にも積極的に参加されたようです。単に「知」の世界にとじこもることなく、「情」「意」を含め、人間性すべてにわたって、素晴らしい極みに達しておられたのです。

このことは、私たちに貴重な教訓を与えてくれます。ともすれば知識や方法論など「合理性」だけを優先しがちです。しかし、ほんとうに独創的であるためには「精神性」を高め、人間性においても豊かであることが不可欠です。一分野の専門家であったり、技術者であっても、その専門分野の知識だけではなく、自らの心を高めるための学習、たとえば文学や哲学や音楽、美術など豊かな人間性をつくるために有効なものを学ぶことに、積極的に取り組んでいかねばならないということです。

ここで、湯川博士の次のような歌を紹介します。

雪ちかき
比叡さゆる日々

寂寥の
きはみにありて
わが道つきず

向上心を持ち続け、研鑽《けんさん》を積み重ね、自分を高めようとしていた湯川博士の思いが、「わが道つきず」に表れています。生涯をかけて人格の錬磨につとめてこられたことは、ノーベル賞に優るとも劣らぬ偉大な業績ではないでしょうか。

たゆまぬ向上心を持ち続けるには、湯川博士が示したように、人智の及ばぬ絶対的な存在に対する「畏《おそ》れ」が不可欠です。なぜなら、そのような「畏れ」を持った人だけが、未知の存在に対して「謙虚」になることができるからです。そして、「謙虚さ」を持った人だけが、素直な心をもって学び、自分を高めることができると考えるからです。

湯川博士の一瞬の姿に、このような思いが込められていたように思います。

五　闇にさすらう――小泉八雲

小泉八雲が、「怪談」を通じて描き出したのは、光と闇の中に潜む日本人の心のひだであり、それはまさしく「陰影」という言葉で表すことができるものでした。

随分と前のことですが、八雲ゆかりの松江市を訪ねた際に、足を延ばして、月照寺という松江藩主松平家の菩提寺《ぼだいじ》を訪ねたことがあります。氷雨降る、うすら寒い夕暮れのこと、境内の墓所を通りかかったとき、林立する墓碑が、〈武士《もののふ》〉のように見えて背筋が寒くなりました。物《もの》の怪《け》のなせる業でありましょうか。

かつて日本人は、闇に潜むエネルギーや、言いしれぬ情念を感じ取る力を備えていたといいます。いつの頃からか、そんな素晴らしい力を我々は失っています。それは、日本の社会に闇が少なくなったことと無縁ではないでしょう。

現代は光の時代です。夜の街を歩くと、光の渦に飲み込まれるような感覚にとらわれます。パチンコ屋やコンビニなどの照明が明るく映し出す街角に立つとき、私は自分を見失いそうになります。存在がまるで霧のように儚《はかな》く思え、行き場を見失ってしまうのです。

そんなとき、ひかれるようにして、光り輝く大通りの片隅に、ひっそりとたたずみ、密かな影を落としている路地の入り口を探してしまうのです。不思議なことに、そんな路地に分け入ると、心は平衡感覚を取り戻します。すだれの奥から薄明かりが漏れる、人々がさんざめく声がこだまし、夕飯を煮炊きする匂いが漂う——そんな路地の風景に、私はようやく落ち着きを見出すことができるのです。

このような陰影に富んだ日本の情景を讃えたのが、文豪谷崎潤一郎です。その京都の旧居、下鴨の潺湲《せんかん》亭を訪ねたことがあります。小振りながら、その日本庭園は自然の陰影を見事にうつしたものです。

谷崎は『痴人の愛』『卍』『春琴抄』など珠玉の小説とともに、随筆『陰翳礼讃』を著し、陰（影）と光の微妙なコントラストにこそ潤いのある日本文化の特質があり、さらには人間の本質があることを説きました。しかし、日本の社会は谷崎の忠告に耳を傾けることはありませんでした。

その後、日本中津々浦々まで都市化が進み、およそ人が住める土地は、白日の下に照らし出されました。

雪深い山村をめぐる林道や、見渡す限りの田園を貫く農道に至るまで街路灯が整備され、アスファルト舗装を煌々《こうこう》と照らし出しています。

月光に映える美しいシルエットが魅力の伽藍《がらん》にまでライトアップを施し、古刹はあたかも寝間着のまま、人前に立つ女性のようでもの悲しくおもわれます。

家の中も妙に明るくなって、現代の日本の家に、かつて田舎の家に見られたような、厠《かわや》周りの薄暗く隠微な場所など存在しません。

こんな隅々まで照らし出された日本に、かつて小泉八雲が描いた、妖怪や物の怪たちの出番はもはやないのでしょう。

闇を失った時代は、潤いを失い、表層的に流れるのみならず、「美」そのものさえ失ってしまっています。谷崎は、『陰翳礼讃』で次のように述べています。

「美は物体にあるのではなく、物体と物体との作り出す陰翳のあや、明暗にある」

自然の陰影、また人間の影である心のひだ、心の綾を理解できない者は、「美」を見出すことはできません。光と闇、つまり生と死を見つめ続けた人にのみ、感性を極限にまで研《と》ぎ澄ませ、美しい作品を遺すことが許されるのです。

中央アジアにかつて住んだスキタイ人は、素晴らしい細工を施した金製品を遺しましたが、後世、その加工技術を超えることはできませんでした。古九谷焼に魅せられた吉田屋伝右衛門は、その華麗な色使いと大胆かつ斬新な図柄を再現することに晩年を費やし、加藤唐九郎は、桃山時代の志野焼を再現することに人生を賭しました。

過去を再現することに命を懸ける——このことを考えるとき、果たして、人間の感性は本当に進化しているのかと疑問に思えてなりません。むしろ退歩しているようにさえみえます。「美」を再現することさえ困難になりつつある、この現代の貧困は、闇を失いつつあることと無縁ではないでしょう。

夜は闇でいい——人間は、闇を見すえ、物の怪の気配に耳を澄ませ、自然を畏敬することで、生命力を取り戻すことができるのではないでしょうか。

闇の中に潜む息づかいに耳を澄ますなら、それが人間の「生」の鼓動と共鳴することに気づきます。「死」つまり闇を見すえれば見すえるほど、「生」すなわち光は輝きます。それは、漆黒の闇に包まれているからこそ、降るような星空を仰ぎ見ることができ、さらには夜明けの輝きが増すのと同じことでしょう。

犬が闇に向かって吠えた——愛犬が棒立ちになり、漆黒の虚空に向かって、うなり声を上げています——私は闇に目をこらすが、何も見えません。犬たちが見すえているのは物の怪なのでしょうか。しかし、現代を生きる私には何も見えないのです。

六　夜の静寂に蛍が消えた

白い指が、神の使いの「白蛇」のように、四十七本の弦にやさしくからんでいます。放たれた清澄な音色が、うたかたの夢のように、ほのかな灯りに浮かぶ会場をさすらっていきます。

長い黒髪を揺らし、文学少女のように繊細な面持ちの女性が、黄金色に輝く楽器とともに、舞台中央に浮かび上がります。

高名なハープ奏者の内田奈織さんです。

私は彼女の奏でる、ハープの澄み切った音に魅せられ、まるで良質のワインを飲んでいるかのように、心地よい酔いを感じていました。

透明感のある音色と旋律にひたるうちに、思いがけなく、意識は遠く若狭の浜に飛んでいました。そして、海に向かって、ゆるやかに円弧を描く、美しい波打ち際を静かに歩いていく、山川登美子の姿が、私の脳裏に浮かんできました。

明治期の薄幸の歌人、山川登美子の故郷、福井県小浜市を訪ねたのは、数年前の八月のことでした。

その年はことのほか冷夏で、お盆とはいえ随分肌寒く、ましてや小雨にけむる浜辺には人影もありませんでした。

ただ一人、冷たい潮風に打たれながら歩む、私の前には、「氷」と書かれた幟《のぼり》が、海の家の軒先に、空しく揺れていました。

山川登美子は、与謝野鉄幹への深い思慕から逃れようもなく、この浜辺を歩いたに違いありません。渦巻く波濤の飛沫を浴び、白砂を踏みしめ、どのような思いを抱き、歩を進めたのか。私の想像を超えて、それはわびしいものであったことと思います。

一方、鉄幹をめぐる恋に勝利した与謝野晶子は、歌集『みだれ髪』を刊行し、鉄幹と結婚します。代表作は、次の二つの歌でしょう。

やは肌のあつき血汐《ちしほ》にふれも見で
さびしからずや道を説く君

その子二十櫛にながるる黒髪の
おごりの春のうつくしきかな

情熱と意欲、そして自信に満ちあふれた、まさに「凱歌」です。反して山川登美子は、恋に破れ、失意の中で結ばれた伴侶にさえ先立たれました。その上、呼吸器系の疾患で、病状が日増しに悪くなっていきました。

そんな山川登美子にとって、唯一の希望であった、歌を詠むことさえ、もはや難しくなってきたのです。

わが柩まもる人なく行く野辺の
　さびしさ見えつ霞たなびく

これは、山川登美子が機関誌『明星』に最後に送った歌です。この歌の掲載後、『明星』は一九〇八年、百号で廃刊しました。登美子も運命を重ねるように、翌一九〇九年四月、二十九歳の短い生涯を閉じました。

与謝野晶子と山川登美子。

晶子は鉄幹の愛を得て、多くの子どもを生み育てたのみならず、綺羅、星のごとき歌を世に残し、名声を得ました。

他方、登美子は鉄幹との恋に破れ、伴侶に先立たれ、病いのために、わずかな歌しか残せませんでした。

あまりに運命は過酷でした。

両者は、動と静、明と暗、陽と陰、さらには自己表出と自己沈潜というように、見事に対照的な存在です。しかし、ともに人生を色濃く生きた人であろうと思います。

私はなぜか、山川登美子の方にひかれてなりません。消え入りそうな、はかなげな陰影に、深い共感を覚えてしまうのです。

静の人、山川登美子は、憂愁と孤独の中で、自分自身を静かにみつめていました。砂をかむような孤愁の中で、不幸であった自らの人生に、深い諦観を覚えていたことでしょう。

彼女の透明な歌の中に潜む、闇のようなものを、私は強く感じるのです。

透き通るような歌を謳い、三十歳を前に夭折した、美しい天才歌人は、その生きた時間を超えて、生の根源を深く見つめていたのではないかと思います。

日本海を望む小浜の浜に、夕暮れが近づいてきました。

漁り火《いさびび》でしょうか、はるか沖に小さな灯りがまたたいています。

そのとき、薄墨色にけむる水面に、はかなく飛翔する、露のように光る存在がありました。

「蛍ではないか」

草しげみ雨の名残の露ふかく
玉と乱れて蛍とぶ也

海をとぶ「蛍」のゆくえに、私は静かに目をこらしました。魂のように思えました。肉体から離れ、いずこへか飛んでいった、山川登美子そのものだと思いました。

恐らく生の岸辺から、永遠の安らぎの地へと飛翔していったのでしょう。

山川登美子は、生の旅人です。清澄な歌に潜む、生の根源に限りなく沈潜していく旅人なのです。

浜を洗う波の音が、内田奈織さんのハープの音色のように聞こえてきました。

七　祈りの歌が聞こえてくる——宮田美乃里

人影もまばらな浜辺は、白い砂を鈍く光らせて、どこまでも続いていました。この年は思いのほか暖冬でしたが、冬の海から吹きつける風はさすがに身を切るように冷たく、コートのすそをはためかせています。

波の飛沫なのか、煙るように降る氷雨なのか、ひとすじの滴が、涙のように頬を濡らします。海面から湧き立つように昇る靄の中を、かもめの群れが、白い竜巻のように舞っていました。

私は、三十二歳で美しい光芒を放って消えた美貌の歌人、宮田美乃里と鬼才写真家荒木経惟《のぶよし》の手になる写真歌集『乳房、花なり。』に魅せられ、静岡のとある浜辺に立ちました。

私が『乳房、花なり。』を手にとったのは、新聞に森村誠一著『魂の切影』の書評を寄せたことがきっかけでした。少し引用してみます。

本屋に入った。加山又造画伯が描く夜桜を装丁にまとった、美しい書籍が眼に飛び込んできた。

頁を繰ると、口絵に心奪われた。人間の本質を洞察する写真家荒木経惟氏の手になる、歌人宮田美乃里女史のポートレートである。憂いを含み、陰翳に富んだ表情に魅せられた。

この本は、社会派作家として名高い著者が、宮田女史をモデルとする荒木氏の写真集に、打ち震えるような感動を覚えたことから生まれた。運命的な出会いを感じとった著者が、彼女を訪ね、その闘病から死に至るまでの軌跡を追い、自身の魂の遍歴を重ね合わせて描いた作品である。

宮田女史は、美しい容姿と、類い希な歌心を兼ね備えた才人であったが、進行性の乳癌に冒され乳房を摘出する。しかし、佳人薄命のならいか、余命幾ばくもない。そのような過酷な運命の中でも歌を詠み続ける。

なぜわれは生きねばならぬと白鳥に
　尋ねてみても冬の海鳴

生を強く願いながらも、現世を去ることを強いられた者の絶唱である。逝く者は、うたかたの生の存在証明として歌を残す。さらには、残された生命の灯を振り絞るように岐阜県高山市に旅する。

帰路に、「無言館」という、戦没画学生の作品を集めた美術館に立ち寄る。この「無言館」もまた、この世への未練とともに、存在証明を残して逝った者たちが集う場である。

物語は、このように死の淵にありながらも、魂を燃焼しつくそうとする、壮絶な人間の様を描きつつ、感動的な結びへと至る。(後略)

(「産経新聞」平成十七年十二月二十四日掲載「書評倶楽部」から)

『魂の切影』を通じ、歌人宮田美乃里の存在を知った私は、『乳房、花なり。』を手にし、衝撃に打ち震えました。

余命幾ばくもない歌人の命の煌《きら》めきが、哀しいほどに凝縮された写真歌集には、歌人の心のひだまでもが見事に表現され、生への祈りの歌が聞こえてくるかのようでした。

乳ガンに冒され、左乳房を切除した、美貌の歌人の姿態に、容赦なくレンズが迫ります。その歌と写真は、生と死のめくるめく瞬間をとらえて、見る者に生きることの本質を突きつけます。

死を覚悟した女性。その端正で楚々とした面立ち、抜けるように白い肌、透けて見える静脈。

なだらかな稜線を描く右胸に対し、乳房を失った平坦な左胸には、切り裂くように、ひとすじの手術痕が走っています。しかし、黒々と刻まれた、その傷跡こそが、歌人の生きた軌跡なのでしょう。私は深いため息をつき、写真を凝視し続けました。

静脈やいのち支えし青き河
かなしき流れよ一条の孤独

一葉の写真に、美しさと悲しさが同時に漂っています。それは、滅んでいくものだけが持つものなのでしょうか。生と死、光と陰のめくるめく世界を、写真は時を止めて、垣間見せてくれます。

私は、なぜか突如として、生きることの哀しさを抱き、歌人が歩いたであろう静岡の浜辺に立ちたくなったのです。

吹きつける潮風が、私を幻想の中に誘い始めます。薄靄をついて、和服姿の女が一人、彷徨うように歩いてきます。黒髪が潮風に流れます。袂を揺らし髪をすくいます。

死にきれぬ浜辺に冬日の射しにけり
　こころ空ろに石拾うなり

ふと女がかがみこみ、小石を手にするとき、背まで伸びた黒髪が、磯に打ち寄せる飛沫に濡れます。

女は、愛おしむように小石を握り、動きません。その眼差しは、じっと小石に注がれたまま。まるで小石の中に潜む幽かな音に、やさしく耳を傾けているようにも見えます。

不思議なことに、女の顔にはひとかけらの影もありません。蓮華の中にたたずむ仏像に見るような、穏やかで深い微笑みを、私はその中に見ました。

夕暮れが近く、かもめの鳴く声が波間に高く響きました。

白波に呑まれて消ゆる幻想を見る
　ふとかいまみし永遠にこがるる

宮田美乃里の祈りの歌から、生きることの絶唱が聞こえてきました。

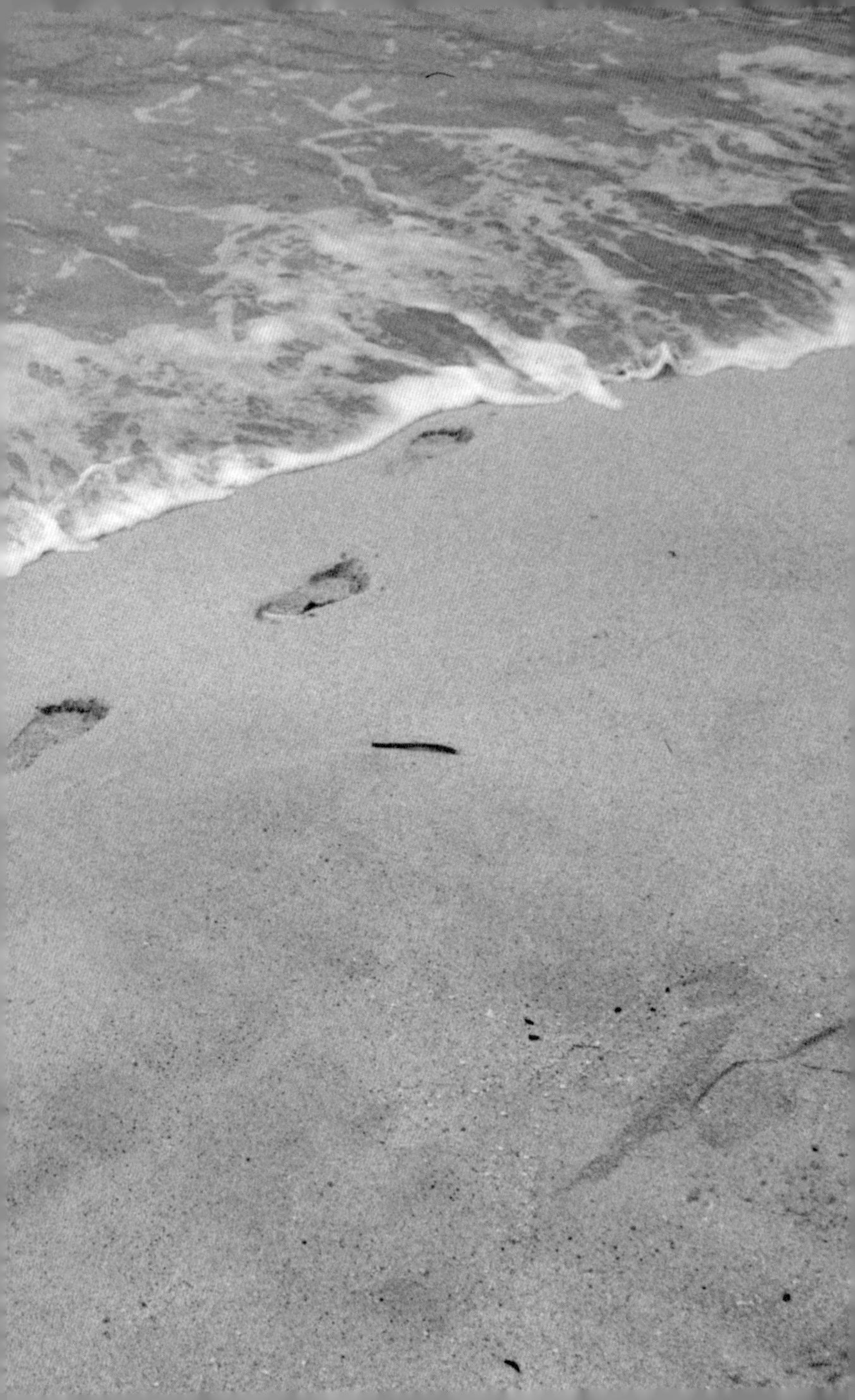

八　身は鴨川の流れのままに

出町柳は、京都と若狭を結ぶ、いわゆる鯖街道の起点です。今も地名の由来となった、大きな柳の木が風に揺れています。

賀茂川と高野川という二つの川の合流点にあたり、ここを境に鴨川と名を変え、京都市内を縦に貫き流れます。

久しぶりの日曜日。愛犬を連れ、鴨川の河原に出かけました。

初夏の川堤は、鮮やかな新緑の草木に包まれ、赤や黄の野花が彩りを添え、蜜を求めるアブの羽音が耳に心地よく響きます。

遥かに北山が霞み、大文字山が近いので、お盆の夜には、魂を切り裂くような、炎の大の字が古都の夜に浮かび上がります。

川面は柔らかな陽光を映し、どこまでも透き通っています。小さな魚影が、閃光のように煌《きら》めいて消えました。

川岸には小魚を狙う白鷺《しらさぎ》が、哲学者のようにたたずみ、鴨の群れが音もなく川面をすべり、草叢に消えました。

私は、陽気に誘われ、犬たちに引かれるまま、いつもより遠くへ歩を進めました。鴨川をわたる、大きな橋のあたりに通りかかったとき、犬が突然吠え出し、引き綱がちぎれるくらい強く引っ張りました。

色褪せた青いビニールシートで覆われた、奇妙な小屋に向かって、犬は吠えていました。

小屋に近づくと、六畳くらいでしょうか、橋脚の隙間をシートで囲い、雨風を防ぐだけの、まさに漂泊者の住まいといった佇《たたず》まいでした。

耳をすますと、人と犬の気配がします。吠え続ける愛犬を、やっとの思いで鎮めたとき、さらに奇妙なことに気がつきました。

小屋を取り囲む青いシートに、十数枚もあるだろうか、白い紙が揺れていたのです。

それぞれの紙には、墨をたっぷりとつけ、黒々とした筆づかいで、和歌が記されていました。私は時を忘れ、流麗な筆跡を追いました。

老女あり仔犬と共に日々嬉し
　京の鴨川雪の夜かな

雪の舞ふ北の風吹く鴨の川
　我が仔と歩む老女ありけり

浮世捨て今日一日を生きる人
　身は鴨川の流れのままに

世間からうち捨てられ、さぞ荒んだ生き方をしているに違いないであろう小屋の主が、巧拙はともかくこのように澄み切った、迷いのない歌を詠むとは。私はその身の上に、深い床しさを感じました。

歌だけではない。「日曜日　老女の人生相談　女子大生に限ります」といった貼り紙まであありました。

住人であり歌の作者は、恐らく老女なのでしょう。

私は、運命の流れのままに生きる、漂泊の歌人を想いました。人生の迷路を彷徨いながら、因習や権威に立ち向かっていった、一人の美しい女性を想い描きました。生の闘いに敗れた末の落魄《らくはく》の姿でしょうか。しかし、身は落ちぶれても、精神の美しさは失っていません。

京の冬は厳しい。小雪が舞い、激しく凍てつく夜も少なくありません。夏は蒸し返る日が続きます。

そんな京の河原で、仔犬とともにひっそりと暮らす、一人の女性の後ろ姿を想い続けました。

瀬戸内寂聴に、『いよよ華やぐ』という小説があります。飯田蛇笏賞を受賞した俳人、鈴木真砂女をモデルにした作品です。

私の中では、真砂女と青い小屋に住む老女が、二重写《うつ》しとなって、いつまでも消えなかったのです。

真砂女は、明治三十九年（一九〇六）年、房総の老舗旅館に、三姉妹の末娘として生まれました。

二十二歳で日本橋にある問屋の跡取りと結婚し、女児をもうけるが、夫は賭博に狂い失踪。その後、実家の旅館を継いだ姉の急死に伴い、義兄と再婚します。

しかし、真砂女は夫を好きになれず、心を癒すためか、俳句に耽溺《たんでき》します。そんなとき、年下の海軍士官と運命的な出会いをし、出奔してしまいます。

やがて家に戻った真砂女ですが、夫との溝はもはや埋めがたく、五十歳で離婚し、銀座に小料理屋をひらきます。文人仲間が集い、賑《にぎ》わいをみせますが、彼女の人生を支えたのは、やはり俳句でした。九十六歳、鈴木真砂女は、俳人として人生を全うしました。

彼女の晩年の句には、澄みきった心境が見事にうたわれています。

突然死望むところよ土筆野に

来てみれば花野の果ては海なりし

しばらくたったある日、私の足は再び河原の青い小屋へと向かいました。「老女に会いたい」との想いは募るばかりでした。

穏やかな陽差しの日。テント小屋の中からは物音一つせず、その静寂は、近づくものを拒絶しているかのようでした。

私はそのとき、老女に会うことで、何かを失ってしまうような思いにとらわれ、踵《きびす》を返しました。

鈴木真砂女と青い小屋の老女。その俳句と歌には、ともに深い諦観と透き通るような清澄感が満ちています。

恐らくそれは、生を超越した者のみが持つことを許される、心の静謐《せいひつ》さなのかもしれません。

生きることに命をかけてきた人たちの美しく透明な魂が、川面より、靄のように立ち昇ってきました。

九　〝童謡詩人〟の魂の絶唱が聞こえる

星とたんぽぽ

金子みすゞ

青いお空のそこふかく、
海の小石のそのように、
夜がくるまでしずんでる、
昼のお星はめにみえぬ。
　見えぬけれどもあるんだよ、
　見えぬものでもあるんだよ。

ちってすがれたたんぽぽの、
かわらのすきに、だァまって、
春のくるまでかくれてる、
つよいその根はめにみえぬ。
　見えぬけれどもあるんだよ、
　見えぬものでもあるんだよ。

子どもにでも理解できる簡明な詩ですが、その意味するところは深淵《しんえん》です。

この詩の作者、金子みすゞは、明治の生まれで、山口県出身。西條八十に認められ、大正期に活躍しました。二十六歳の人生を凝縮したように生き、夭折した童謡詩人です。

この人の作品と生涯を深く知ることになったきっかけは、当時、龍谷大学の学長をしておられた上山大峻氏とお話しをする機会を得たことからでした。仏教学者でもある上山氏は金子みすゞに魅せられて、関連の著書も出版されています。「いずれの詩にも深い宗教性が感じられる」と賛辞を寄せられています。

この詩に表現されているように、私たちは日常の生活や仕事において、なにか大切なものを見過ごしていることはないでしょうか。簡単にその上っ面だけを見て、理解したつもりになったりして、肝心なことを忘れ、短絡的に判断を下したりしてはいないでしょうか。

そのようなものの見方では、真実は姿を現しません。本質的なものは常にそのものの背後に、内側に、密かに、しっかりと存在しています。そのことを振り返ってみることの大切さを作者は言っているのでしょう。


ものを見るときには、様々な視点があります。ところが実際には私たちがものを見たり、考えたり判断したりするときには、一面的になりがちです。物体の立体的な面を見なければ、ものごとの一部分しか判りません。

たとえば、地球の最も内側には、真っ赤に溶融したマグマが渦巻いています。地表に広がる緑の大草原や森林、また青い大海原だけを見て、地球の本質を語り尽くすことはできません。

人間でもおなじことです。

一見ひ弱そうな人が激しい情熱を持ってひとつのことに取り組んでいるとき、心にかたちづくられた信念の炎は誰にも見えはしませんが、その人の本質そのものなのです。

人間の「涙」というものを考えることがあります。他の生き物にはありえない作用です。科学的に分析するなら、

「九八パーセントの水分に、ナトリウム、カリウム、アルブミン、グロブミンなどのほか、リゾチームなどの酵素を含むもの」

ということになります。これが本質でしょうか。

そうではありません。

「涙」を流す人間に視点を移せば、そこに心を揺さぶる様々な葛藤があり、感動もまたあるのです。「涙」とはそのような人間が人間であることの証明であり、情念が交錯するドラマの結晶のようなものなのではないでしょうか。

自然の中の花々の移り変わりに心を和ませる時、私たちは深い感動の中で、生きることの意味を知ることにもなります。

秋になると樹々の葉が赤や黄色やくすんだ茶褐色に色づきます。科学的にいえば、樹々が冬支度のために葉と枝の間に細胞層を形成し、水や養分の流れを遮断することで生じる色素変化のことを「紅葉」といいます。

この現象を日本人は、生を終える直前の命の輝き、燃え上がるような生命の炎ととらえ、いいしれぬ無常観を「紅葉」に見ていました。

理性的な見方、感性的な見方、いずれか一方が正しいとか誤りというわけではありません。理性的な見方もまた感性的な見方も、いずれもが必要なことです。偏《かたよ》らないことが大事です。

「理性」と「感性」、「理論」と「実践」、「理想」と「現実」、これらの言葉を二項対立としてとらえることは間違いです。

大切なことは、ものごとを一面的に見てはならないということです。ものごとには様々な側面があり、ときには対極にあるような、全く異なる面を見せるということをよく理解して、判断し、行動することです。

金子みすゞの代表的な詩です。

大　漁

朝焼小焼だ
大漁だ
大羽鰮《いわし》の

大漁だ
濱は祭りの
ようだけど
海のなかでは
何万の
鰮のとむらい
するだろう。

このように、ものごとには一つに見えて、実際には常に全く異なる側面があるということを理解し、誤りのない判断を下していくためには、一面的にならない人間性を身につけていくことが不可欠です。また、直接眼に見えてはいない、ものごとの本質を見ぬく視線を養うことを心がけたいものです。

そのためには、感性を磨き、幅広い人格を養うことが大切になります。仕事を通じて様々な専門的な知識や、経験を身につけることも大切ですが、職場を離れて一個の人間としても、あらゆる機会を通じて、自発的に学び、豊かな人格を築き上げることが、求められているのではないでしょうか。

そのためにも、見えないものにこそ隠された真実があることを忘れてはならないのです。

冬の日本海
　氷雨混じりの
風が荒れ狂う
　一羽の傷ついたカモメが
　鈍色の海に落ち
波間に消えていく
　独り海辺にたたずむ
うつろな少女の黒髪が
風に舞う
　一匹の憂愁の蛇が
少女の心の中を
這っていった

私は夏の陽差しをたたえ、ないだ仙崎の海を見つめ、思いつづけました――。

山口県仙崎は、日本海に面した小さな港町です。海から続く狭い通りに、張りつくように街並みが続きます。金子みすゞは、この狭い街で生まれ、育まれ、若くして死にました。彼女の魂はついにこの街を出ることはありませんでした。

金子みすゞの生家跡が記念館に改装されています。二階の彼女の部屋を模した部屋の窓からのぞく景色は、幼い頃を思い起こさせます。

私もまた、そんな田舎町で生まれ育ちました。狭い通りに軒を接するように、雑貨屋、八百屋、たばこ屋、そして神社やお寺が連なっています。

金子みすゞが眠る遍照寺を訪ねたとき、なぜか一度来たような懐かしさを覚えたのは、わたしもまた少年時代に、魂のやるせなさを感じた一時期があったからかもしれません。

仙崎の港に連なるように横たわる、青海島にある「鯨の墓」に足を運びました。港に続く路地の階段を登った小高い丘の上からは、のどかな入り江が一望できます。

「鯨の墓」とは親を殺されたクジラをまつったものです。仙崎では、出産のために近海に回遊してくるクジラを獲る漁が盛んでした。そのとき親クジラの胎内にいた仔クジラを不《ふ》憫《びん》に思った村人は、一頭ずつ戒名をつけ供養し、町はずれの丘に手厚く葬りました。やさしい仙崎の人々です。金子みすゞもその優しさを秘めているのでしょうか。

一般には、金子みすゞを、叙情的な詩を書いた、童謡詩人のように見る向きが多いのですが、果たしてそうでしょうか。それは「大漁」の詩にうたわれている「浜の祭り」のように、彼女の一面しかとらえていません。私には、海底からわきあがるような鎮魂の歌が聞こえてくるのです。

彼女の魂は、はるかに飛翔しようとしました。しかし、その魂は日本海に臨む、小さな港町をさすらい続けました。そして、因習のなかで、永遠への飛翔を願い、それが満たされないとわかったとき、自らその人生に終止符を打ちました。

私には、荒れた日本海を望む街で、吹きすさぶ嵐の中、粗末な綿入れの着物の前を合わせながら、魂の叫びをあげる、小柄な女性の姿が目に浮かびます。また、「鯨の墓」の前で一点を凝視し、独りむせび泣く、傷ついた女性の声が聞こえてきます。

金子みすゞは、人間の業を見据えてきた詩人です。彼女が見ている風景は、決して童謡詩人が描く牧歌的なものではなく、暗く深くぽっかりと空いた漆黒の闇を見るようです。彼女の詩の出所は、その闇の深奥でしょう。深淵から発した、祈りの歌こそが、金子みすゞの詩であろうと私は思います。それは童謡詩をはるかに超え、人々の心を打ちます。

彼女の詩が多くの人の心を揺り動かすのは、その叙情性ではなく、人間の「生」の本質を我々に垣間見せてくれ、さらには生まれいずることの業を、我々に示してくれるからでしょう。

彼女の自殺の原因も、夫の冷遇など、いろいろと取りざたされていますが、因習と自己の感性の狭間でもだえ苦しみ抜いた、彼女自身の魂の帰結なのでしょう。

金子みすゞの詩に潜む宗教性がここにあると思います。金子みすゞの絶唱が、海鳴りのように聞こえてきました。

独りの少女の幻影が
　街角を回って消えた
風が動かない
　海の底のようだ
群青の空に
　流れ星が消えた

十　平家の化身が闇をさすらう

もう十年も前になりましょうか。

日本画家、前田青邨《せいそん》の「知盛幻生」という画を前に、背中に冷たい水のようなものを感じて、立ち尽くしたことがあります。

壇ノ浦の合戦において、平家の総大将をつとめた平知盛《たいらのとももり》をはじめ、八人の武士を描いた大作（一・四メートル×二・二メートル）です。

怒濤《どとう》のように打ち寄せる、灰色の波間に漂う小舟に立ち、長刀を構える武者たち。その青白い顔にまといつく海草のような髪と、虚空をにらむ鋭い視線は、水底から姿を現した亡者のものでした。

金縛りにでもあったかのような私に聞こえてきたのは、滅び去った者たちの怨念に満ちた呻《うめ》きであり、死者と生者の狭間を彷徨う、亡霊たちの叫声が、波飛沫となって迫ってきました。

私は、栄華と没落あざなえる、運命の過酷さを描き抜いた画の前に、茫然として立ち尽

くしていました。そのとき、私の魂は亡者の鬼火に誘われるかのように、壇ノ浦を彷徨い始めたのです。


実際に、壇ノ浦を訪ねることができたのは、この五月の連休のことでした。

夜のとばりが静かに降りようとする頃、私は下関駅に降り立ち、関門海峡を見下ろす高台に向かいました。

そぼ降る雨が頬を濡らし、狭い海峡の向こうに、門司の街の灯がにじんだように明滅しています。

黒く光る海峡の波間に、狐火のような灯影が幽《かす》かに揺れていて、漁船でしょうか、幾艘もの小舟が狭い水路を過ぎていきました。

赤間神宮へと足を速めました。

海際に立つ神社は、もともとは壇ノ浦に入水した安徳天皇の異母弟、後鳥羽天皇によって創建された阿弥陀寺で、明治になって、天皇御陵があることから、赤間神宮に改められました。

それだけに、たたずまいは、異彩を放っています。とりわけ「水天門」と名づけられた山門は、「浪の下にも都のさぶらふぞ」と、水底に沈んでいった幼帝を弔うため、華やかな竜宮造りとなっています。

境内左手には、同じく壇ノ浦の藻くずと消えた、平知盛をはじめとする平家一門の墓所があります。

暮れなずむ墓の前に立ったとき、ふとその横手に、「耳なし芳一」の像を祀る祠があることに気づきました。

芳一は、赤間が関（壇ノ浦）に住む、盲人の琵琶法師です。名手であったが、とりわけ「平家物語」を弾奏するときは、「鬼神も涙をとどめえず」といわれるほどの腕前でした。

芳一は、平家一門の怨霊にとりつかれ、深夜の墓場で、壇ノ浦の合戦を弾唱します。和尚によって五体に経文を書き付けた護符を全身に貼るものの、貼り残した耳だけが、怨霊にかみ切られてしまいます……。

私は幼いときから、「雪女」をはじめ小泉八雲の作品を通じて、人間の深い情念に魂を揺すぶられ続けてきました。この「耳なし芳一」にも、幼心ながら鬼気迫るものを感じたことを、今でも覚えています。

ふと我に返ったとき、辺りは闇に包まれていて、すでに人影はなく、幽かな琵琶の音と、怨霊のうめき声が、地の底から湧いてくるようでした。同時に私は、身震いするようななにかを感じていました。

今夜も、怨霊たちの宴が始まるのかもしれません。

翌朝、下関市一帯は「先帝まつり」で賑わいを見せていました。

先帝とは安徳天皇のことです。

生きながらえ、野山の草花を売るなどして、暮らしを立てていた平家の女官たちが、幼帝の命日にかつての衣裳をまとい、その霊を弔ったことが祭りの起源で、地元の遊女がその遺志を継いだといいます。

その故事にちなみ、今も「上臈道中《じょうろうどうちゅう》」と呼ばれる、あでやかな花魁《おいらん》の衣裳を着飾った大夫が、独特の外八文字の歩き方を披露しながら、壇ノ浦一帯を練り歩く、「道行き」が行われています。

皐月《さつき》晴れの明るい陽差しの中、私は豪華絢爛《けんらん》な衣裳をまとった一行を見送りました。

鮮やかな朱色の衣裳は、武家の再興を願いつつ、哀しい生を生き抜いた、女たちの血の色にも思えました。

遠く海峡から、女の哀しみの声が風に乗って聞こえてきます。

海峡を望む小径《こみち》をあてもなく歩きます。草花は昨日の雨で、艶やかに光り、木々の陰影が鮮やかでした。

小さな公園に出たところに、藤棚があり、無数の花穂が大夫の長い髪のように幽かに揺れていました。

甘い香りと薄紫の花々に誘われ、私は藤棚の下に歩を進めました。

咲き誇るかのような、満開の藤棚を見上げたとき、無数の花びらが、あたかも蝶の大群が羽ばたこうとしているように見えました。

そのとき、海峡に沈んでいった、平家一門がすすり泣くような琵琶の音が聞こえてきました。

「祇園精舎の鐘の声……」

何千、何百万という藤の花が、蝶の群れと化して、海峡から吹き上げる風に乗り、天空めがけて駆け上っていきました。

第三章　情念の炎に照らされて

一　〝終い弘法〟に、生のエネルギーを見る

京都駅の南に、五重の塔が美しいシルエットを描いています。空海ゆかりの真言宗の本山「東寺」です。

この東寺には、毎月一回、「弘法市」と呼ばれる市が立ちます。毎月二十一日の朝五時から日没まで終日にわたり、二十万人が足を運び、とりわけ年の暮れ十二月に行われる弘法市のことを、「終い弘法」と呼び、ひときわ賑わいを見せています。

この弘法市の歴史と規模は想像を超えています。起源は十三世紀にさかのぼるというから七百年以上の歴史を誇り、出店する露店の数は千三百軒にも上ります。

私はある年の冬、「終い弘法市」を訪ねました。

氷雨降る境内に立った瞬間、異空間に迷い込んだ思いがしました。ちょうど昼時であったので、ソースや醬油が焼けるような縁日特有の香りに、線香の匂いや古着であろうか、少しすえた臭い、さらには人いきれなどが混じり合い、独特の空気が漂っていました。

広大な東寺の境内はおろか、周囲の路地に至るまで、びっしりとテントを張った露店が

立ち並び、人々でごった返していました。衣料品や食料品をはじめ、日用雑貨を扱う店が多いのですが、古道具や古着、古本などを扱う露店も交じっています。

私の足はそんな店の前で止まってしまいます。薄暗いテントの店先に、思いがけない品物を見出すからです。黄楊《つげ》の櫛、錆びた銀の写真立て、ときにはエログロとしかいいようがない絵画も並べられています。また、使い込まれた鼈甲《べっこう》のかんざしに、一筋の黒髪がからんだまま、売られていたりする様は、あまりになまめかしく感じられます。

そんな古道具の数々は、独特の雰囲気を醸し出しています。幾世代にもわたって使い込まれた品々に情念が宿っているからでしょう。

人間が、生と死の狭間で抱く歓喜と悲嘆、また愛情と憎悪など、濃厚な思いが、薄暗いテントの奥に並ぶ、奇っ怪な品々から発散され、テントの中に充満しています。だからこそ、私の足は、目に見えない糸に引かれるかのように、引き留められてしまったに違いありません。

この古道具から発する情念に、さらに古道具に魅せられている人間の思念が絡みあう——それは、情念と思念の感応であるのみならず、過去と現在が交叉する一瞬です。そこから、不思議なエネルギーが波動となって迸《ほとばし》ります。

その奔放で豊饒なエネルギーは、まさに「魔界」のものでありましょう。弘法市とは、そんな生々しいエネルギー迸る世界を、垣間見せてくれる場です。空海がめざした世界も、そのような人間の原初のエネルギーに満ちた世界ではなかったでしょうか。

東寺は真言密教の根本道場のひとつです。国宝の両界曼荼羅図《まんだら》が収蔵されているだけでなく、仏像が曼荼羅状に配置された「立体曼荼羅」でも有名で、さらには伽藍配置そのものが曼荼羅を成しています。

私は、弘法市も曼荼羅ではないかと思いました。

二十万もの老若男女、千三百もの露店が堂宇の周囲に群れ並び、それらが膨大で混沌《こんとん》としたエネルギーを発散しつつ、大宇宙を構成しているからでしょう。

現代は、無機質な時代です。人々は生きるために、瀟洒《しょうしゃ》なショッピングモールに足を運び、食欲や物欲を満たしています。最近では、ネットショッピングが盛んになり、さらに無機質化が加速しています。子どもとて、デパートでカブト虫を購入し、ゲーム機の中でチャンバラをするのです。

人間同士が、また人間と自然がつむぎ合い生きることを忘れ、バーチャルな世界で表層的に生きてはいないでしょうか。人間は本来、生、老、病、死に苦しめられながらも、もっと活力にあふれ、たくましく、感性豊かに生きていなかったでしょうか。

昼は灼熱《しゃくねつ》の太陽にさらされ、夜は漆黒の闇におびえ、明日の糧《かて》の不安にさいなまれながら、大いなる感動と敬虔な畏れを抱きつつ、懸命に生きていました。そんな時代の人間の喜怒哀楽は、今よりもっと山高く、谷深かったに違いありません。

たとえ混沌であろうとも、生への欲望に満ち満ちた、強烈なエネルギーが奔出する世界の中でこそ、人間は原初の姿に立ち返り、より人間らしく生きることができるのではないでしょうか。

この時代が持つ、評しがたい喪失感を思うとき、人間がその魂の深奥から発する、生々しいエネルギーの迸りが薄らいでいることが、その最大の要因であるように思えてなりません。

現代に再び活力を取り戻すなら、また人間が再び主役となる時代をめざすなら、生へのエネルギーに満ち満ちた、「魔界」を今の時代にも現出させることが求められているのではないでしょうか。

千二百年という悠久のときを超え、人々のエネルギーが結集した弘法市が開催されている東寺。そのはるか空の奥から、慈愛に満ちた眼差しを民衆に向けている――そんな空海の姿が見えてきた思いがするのです。

二　魔界への案内人——唐十郎

近代ビルが建ち並ぶ京都の表通りも、ひと筋も入れば、思わぬ風情を垣間見せます。そんな路地を訪ねるのが私は好きです。

植木鉢がせり出し、洗濯物が張り出した界隈を歩いていくと、煮炊きする家の台所の匂いに交じって、子どもたちの声が飛び交います。

往々にして、そんな路地は入り組み、複雑怪奇です。私は、あたかも「魔界」を彷徨う旅人のように途方に暮れ、たたずむ——そんなとき、魂は、たちまちに半世紀前に飛翔するのです。

私が育ったのは、中国地方の山あいの町です。そんな片田舎でも、八幡様の大祭には、突如「魔界」が出現しました。

蝙蝠が飛び交う薄暮が過ぎ、夜の帷《とばり》が降り立つ頃、次第に輝きを増していくエチレン灯や裸電球に人影が揺れ、参道がほのかに浮かび上がり、お神楽《かぐら》や太鼓の音とともに、子どもたちのさんざめく声も高くなります。

参道の両側には、金魚すくいや風船売り、ほおずき売りや駄菓子売りなど、様々な屋台が軒を並べています。エチレンガスが燃える、独特の匂いをかぎながら、母に手を引かれ、参道を歩いていく幼い私の心はいやがうえにも高鳴りました。

そんな非日常の世界が広がる参道の奥には、いつも演《だ》し物小屋が立っていました。

客引きの声が今も耳に残っています。

「世にも悲しい話を聞いてくれ。親の因果が子に報い……」

そんな口上に魅せられ、小屋に足を踏み入れると、「ヘビ女」に「タコ女」、はたまた「鯨男」に「人間ポンプ」などなど、おどろおどろしい演し物が続いて、幼心にも「魔界」に囚われた自分を感じていました。


そんな幼時体験が残滓《ざんし》のように、私のなかに残っていたのでしょうか。二十年ほど前に、唐十郎氏率いる状況劇場の上演を告げるポスターに、眼を奪われました。横尾忠則氏制作のこれまた、おどろおどろしいポスターによれば、京都のとある神社の境内でテントを張るといいます。演劇にほとんど縁がなかった私ですが、無性に覗《のぞ》きたくなりました。

境内の一角に設けられた会場に足を運ぶと、靴を脱がされ、奥へ奥へと押し込められ、わずか三十メートル四方くらいの真っ赤なテントに、数百人が膝を接し、詰め込まれました。舞台とはいえ、かろうじてテントの一角を区切ったに過ぎないものです。客席に俳優のつばきや汗までもが飛び込んできました。

そんな雑然として、しかし熱気渦巻くテントで展開された、唐氏の舞台では、すえた腐臭が漂うかのような衣装や舞台セット、人間の欲望をそのまま切り出したかのような台詞《せりふ》、不協和音を奏でる音楽など、奇抜な演出に心底驚かされました。これもまさしく「魔界」の所産であったのです。

都会の片隅に潜む「路地小路」、幼時に経験した「夏祭り」、長じて見た「状況劇場」、それらは同じ振幅で私の心を揺すぶり続けています。共通して貫かれているのは、人間の生へのあくなき賛歌や渦巻くようなエネルギーにほかならないのではないでしょうか。

私には、人間の生に対する、迸るようなエネルギーの喪失が、現代の病根の一つであるように思えてなりません。なぜなら、生に対する意欲を失った社会は、生と裏腹に存在する死に対しても、鈍感にならざるをえないからです。

昨今紙上をにぎわせている親族間の殺傷や、年間三万人を下ることがない自殺者の問題も、総じてこのことに起因するように思えてなりません。近代ビルが建ち並ぶ、乾ききった美しい都会の奥底に、みずみずしいエネルギーに満ちた路地小路が潜むように、我々も自らの心の奥底に潜む、あふれるような生のエネルギーに分け入る必要があるのではないでしょうか。

唐氏の舞台の圧巻は、ラストシーンでした。舞台奥のテントが一気に上がり、ライトに照らされた二百メートルにも及ぶ参道が暗闇に浮かび上がります。男女二人の俳優が腕を組み、参道を静かに歩みながら、闇に溶けていきました。るつぼのごとくテント内に渦巻いていた熱気も空しく闇夜に放出されました――それは、まさしく未来への問題提起でした。唐十郎氏は当時すでに、人間本来の生のエネルギーの喪失に警鐘を鳴らしていたのでしょう。

三　むくつけき獣どもの魅力――寺山修司

「マッチ擦るつかのま海に霧ふかし身捨つるほどの祖国はありや」

あまりに有名な、寺山修司の代表作ともいうべき歌です。随分昔に詠まれたものですが、今も色褪《あ》せてはいません。私の心の中では、年を経るごとに、ますます陰翳《いんえい》がより鮮明になってきたようにさえ思われます。

三十年近くも前のことでしょうか。全学連がヘルメットに角材を持ち、闊歩《かっぽ》した、その〝残り香〟が未だ大学構内に漂っていた頃、いわば日本にもっと〝活力〟が満ちていた時代のことです。

寺山の歌に魅せられていた私は、きらびやかさと土俗性を合わせ持った、横尾忠則の手になるポスターにひかれるようにして、彼の舞台に駆けつけました。ちょうど、京都の太《うず》秦《まさ》で寺山の作品が上演されていたのです。

古びた大映撮影所の映画スタジオ内に、寺山の思想のままに仕立てられた舞台は、独特の風情を放っていて、コンクリートの地肌むき出しの観客席に陣取った五百人ほどの観衆はみんな襟を立て、じっと幕が上がるのを待っていました。時折、すきま風が女性の長い髪をまきあげていました。

そんな観衆たちの前で繰り広げられたのは、寺山の劇作の中で代表作の一つに数えられる、「奴《ぬ》婢《ひ》訓《くん》」でした。いわゆる〝裸の王様〟を幻想的に描いた作品です。

厳冬の一月、暖房もなく、スタジオ内は凍えていて、しかし一瞬、暗闇に包まれた後、舞台は白煙に包まれ、煌々とスポットライトが照射されました。いよいよ劇が始まり、私は度肝を抜かれ、寒さを忘れてしまいました。

全身を白く塗りつぶした王様であろう、全裸の男性が舞台中央に登場し、周囲を奴婢であろうか、同様に全身を白く塗りたくった、肌も露《あら》わな女性たちが取り巻いています。舞台には体にわずかばかりの布をまとっただけの、闇にうごめく白い男女の一群が連なり、劇は進行していきました。

ストーリーは覚えていません。ただ異様でした。とてつもなく大きな唇や巨大な乳房をつけた俳優たちが発するのは悲鳴や嬌声、台詞はほとんどなかったように思います。人間の過剰な欲望をリアルに表現した舞台に、観衆は震えるように酔っていました。

魔界に潜む、むくつけき獣どもの一群が繰り広げる光景は、あまりにおどろおどろしく正視に堪えず、しかし、不思議なことに、舞台が進むうちに、次第にその異様な一群が発する、強力であまりに純粋なエネルギーが、私の心を捉え始めたのでした。

それは、生命がこの地球上に誕生したときから、もともと備えているもの——野性に満ち、生命力にあふれ、強烈なパワーを持ち、ひとことで言うなら、「原初のエネルギー」と呼ぶのがふさわしいでしょう。

人間も、まとった殻を一枚一枚ぬぐい去っていけば、限りない生命力に満ちた存在なのではないでしょうか。次第に文明が進化するにつれ、生来の活力を失っていってしまったのではないでしょうか。

人間は人間であろうとして、営々と文明を築き上げてきました。長い歴史の中で、様々な知識や技能、さらには多岐にわたる社会通例を身にまとってきて、それが文明の所産であると思われています。しかし半面、生物の一種でしかない人間が失ったものも大きいでしょう。

この人間が生来持つ「原初のエネルギー」を、現代を生きる我々の中に見出すことは、もはや困難なのかもしれません。私は、このことが現代の閉塞感の根本原因でもあろうと思います。寺山の問題意識もそこにあったのではないでしょうか。

私には、寺山は「反体制」ではなく、「反文明」であったように思えてなりません。彼はその一生涯をかけて、「文明」と対峙し、「文明」に真っ向から勝負を挑んでいたのではないでしょうか。

寺山が繰り出した世界は、歌であれ、演劇であれ、人間が持つ「原初のエネルギー」に充ち満ちていました。彼は、そのような異空間を提示することで、非文明と文明あるいは生と死、幻想と現実の狭間において、我々に決断を迫っていたのではないでしょうか。

寺山が願ったのは、人間という存在の根源に位置する魂の奔出です。その意は、名著『書を捨てよ、町へ出よう』等に込められています。虚飾からの脱皮、本然への回帰、ひとことでいえば、真の人間主義ではないでしょうか。

人間は、野性のままでいい。奔放なエネルギーの噴出こそが、全てを変えていく原動力となる――一九七〇年代に寺山が時代に遺した、このメッセージは今も生きています。時代は年ごとに閉塞感を強め、われわれ一人ひとりは日ごとに増していく、漠とした不安感の中で息を潜めているのです。

人間が本来持ち合わせている、生の力を発するだけで、現代の社会は劇的に変貌を遂げることでしょう。寺山がつくった「あやかし」の演劇空間――我々は、今もその舞台の前にたたずんでいます。

四　深く生きた詩人――中原中也

中原中也が生まれ、多感な少年時代を送った、山口・湯田温泉を訪ねました。

中原中也は明治四十年に生まれ、昭和初期に活躍した詩人です。山口で揺籃期《ようらんき》を送り、京都を彷徨し、東京で詩人となり、北鎌倉で夭折しました。

今年（二〇〇七年）は、生誕百周年にあたり、故郷山口では多彩な催しが行われています。

私は生家跡に建てられた「中原中也記念館」を見学した後、近代的なホテルが林立する温泉街を後に、中也が眠る吉敷《よしき》墓地に足を向けました。

湯田温泉から一キロくらい離れていたでしょうか。小高い山すそに、中也が眠る中原家累代の墓がありました。

私は墓の前で静かに頭を下げ、デカダンと恋の迷路を彷徨い続け、わずか三十歳で夭折した詩人の生涯に思いを馳せたのです。

川の気配がしました。墓地横の竹藪の陰に潜むように川が流れていたのです。

川面は、三月の柔らかな陽差しを浴びて、密やかに光っていて、人影はありません。鳥のさえずりだけが聞こえていました。若き中也も、やるせない思いを抱きながら、この川辺にたたずんでいたに違いありません。

持参した中也の詩集『在りし日の歌』を取り出し、頁を繰りました。

さて小石の上に、今しも一つの蝶がとまり、
淡い、それでいてくっきりとした
影を落としているのでした。

やがてその蝶がみえなくなると、いつのまにか、
今迄流れてもいなかった川床に、水は
さらさらと、さらさらと流れているのでありました……
（「一つのメルヘン」から抜粋）

私は、川岸に立ち尽くしていました。眼前に広がる茫洋とした景色が、子どもの頃に遊んだ風景のように思え、既視感にとらわれ続けていたのです。

我に返った私は、墓地を突っ切り、来た道を引き返そうとしました。しかし、不思議なことに、小さな墓地の中で道に迷ってしまいました。

そのとき、背筋になにか、得体の知れない気配のようなものを感じ、中也の墓を振り返ったとき、一匹の白い蝶がひとひらの桜の花びらのごとく、風に流れるように翔んでいきました。

「中也の魂だ」

訳もなく、私はそう思ったのです。

故郷を追われるように旅立った十七歳の中也は、京都に向かい、才気あふれる美貌の女

優と出会い、恋に落ちます。

二人は運命に突き動かされるように同棲《どうせい》しますが、恋というよりは、未知の何ものかを求め、狂おしいように生きただけのことでしょう。

中也は、京都だけで七回も転居を繰り返していて、その一軒が、今も京都御所の北東に、昔の風情を残し、たたずんでいます。

私は山口からの帰途、その家に立ち寄り、二人が住んだ二階の部屋を見上げました。

京の昼下がり。春の陽光に瓦屋根が光っています。道に面した壁には小さな窓が一つだけ。そのわずかな隙間から、生を渇望しながらも恋の迷宮を彷徨う、二人の苦悩のうめき声が漏れ聞こえてくるかのように思えたのです。


ときは春。京の町は桜を愛でる人々で沸き返っていました。そのにぎわいの中を、私は中也の情念につかれたかのように、あてどなく彷徨い、気がつくと、阿弥陀寺の山門の前に立っていました。

阿弥陀寺は、織田信長に縁があり、境内に信長父子や森蘭丸兄弟、さらには本能寺で散った武士たちの墓があります。

静かでした。花盗人のように、山門をくぐると、一本の満開の桜が、その枝振りを広げ

ています。

訪れる人も少ないのでしょう、人影もありません。突然一匹の野良猫が墓裏から飛び出してきました。

水底のような静寂の中で、本能寺の紅蓮《ぐれん》の炎の中で自刃した、武士たちのうめく声が聞こえてくるかのように思えました。

その声は、生を渇望しながらも満たされず、デカダンに生きた詩人の魂の叫びと、私の心の中で共振しているようでした。

信長と中也。戦乱の世と戦前の不穏な時代を駆け抜けた若い命の叫びが、三百年の時を隔てて響きあっています。

私は深い寂寥感《せきりょうかん》に包まれ、心は時空を超えた、はるかな宙を彷徨い続けていました。

我に返ると、苔むした石碑に気づき、「蝶夢幻」とだけ読めました。ひとひらの桜の花が、石碑の上に蝶のように止まっています。

よく見ると、花片は人生という夢幻の空間を深く生き抜いた、孤独な詩人の魂のように、幽かに風に打ち震えていました。

春たけなわの古都にあって、阿弥陀寺だけがひっそりと静まりかえっています。

汚れつちまつた悲しみに
今日も小雪の降りかかる
汚れつちまつた悲しみに
今日も風さへ吹きすぎる

（「汚れつちまつた悲しみに」から抜粋）

中也の声が聞こえてくる。

五 〝母〟に還る旅――山頭火

真夏の日差しが照りつけ、街並みは陽炎《かげろう》に揺らいでいます。――八月半ば、お盆を直前に控え、防府《ほうふ》の街は、静かなたたずまいを見せていました。私はなにものかに誘われるかのように、俳人種田山頭火の故郷、山口県防府市を訪ねました。

網代笠《あじろがさ》をかぶり、首から頭陀袋《ずたぶくろ》、左手に杖、右手に鉄鉢《てっぱつ》を持った、托鉢姿の山頭火の像が駅頭に立っています。台座には、

ふるさとの　水をのみ　水をあび

という句が刻まれていました。

山頭火は長い放浪の旅を経て、亡くなる二年前、久方ぶりに、ここ故郷防府を訪れたといわれています。懐かしい郷里に立ち、清水でのどを潤しながら、複雑な思いが交錯したことでしょう。そんな山頭火に思いを馳せながら、私は市中に散在する、山頭火ゆかりの地を訪ねるため、炎天下の防府の街へ歩を進めました。

駅前通りを過ぎると、街並みはやがて静かな住宅街へと変わっていきます。盛夏の昼下がりとあって、人通りは思いのほか少なく、降るような蟬時雨の中、私は山頭火が子どもの頃に通ったという、「山頭火の小径」をたどりつつ、生家跡に着きました。

「大種田」とも称されるほどの大地主であった生家、その面影は今はもうありません。かつては八五〇坪もの地所に、母屋や納屋、土蔵などが建ち並んでいたという。一角にある家は、整備されているが、たたずまいは隠れ家のようです。中央に設けられた句碑には、流麗な書体で、次のように記されていました。

うまれた家は　あとかたもない　ほうたる

自分を育んでくれた生家も、また血縁もすでに失われ、夕闇が訪れる中、背丈ほどの草がかすかに風に揺れていました。そのとき、一匹のホタルが母の涙のように、かすかな光を放って、虚空に消えていくのが見えました。そんな孤独な漂泊の旅人の姿が目に浮かびます。

句碑のそばには、空っぽの一升瓶が立てかけられていました。誰が置いたのでしょうか。山頭火を敬愛し、漂泊を憧憬する者の業か、この地を訪ね、自らの漂泊の思いを、供養したのでしょう。

「定住漂泊」を唱えたのは、俳人金子《かねこ》兜太《とうた》です。金子は「人間には漂泊の心性というものがある。だが、山頭火のように、すべてを捨て放浪することはできない。多くの人は、定住し漂泊心を温めている」と語っています。人間とは、身は定住しつつも、その魂は旅を続けているというのです。

放浪にせよ、定住にせよ、いずれにせよ、人は本来、旅人でしょう。魂は現世へ降り立ち、やがて去っていきます。

――そんな「魂の旅人」に思いを馳せたとき、私の眼前に、山頭火が現れました。彼は、酒瓶を手に立ち上がり、いささか酩酊《めいてい》した足取りで歩き出しました。私は、その後を追いました。

山頭火は、隠れるように流れる小川をたどっていきます。流れはか細く、「ほうたる」(ホタル)の影さえみえません。山頭火は、住宅街の中にぽっかりと空いた草むらで足を止めました。

夏草が生い茂るその空き地には、井戸の跡がありました。旧種田家の井戸の名残りです。山頭火の母フサは、彼がわずか満十歳のとき、その井戸に身を投げたのです。変わり果てた母の姿を見たことが、彼の人生にどのような影を落としたのでしょう。

母を探す旅、それこそが山頭火の原点ではなかったか、彼の求道とは、母の幻影を追い求める旅であり、限りなく恋しく、限りなく儚いものであったのではないか、と思われてなりません。

ふと気がつけば、私の頬を一筋の涙が流れていました。山頭火は、くさむらの夏草の陰に消え入るように去っていきました。

私は、京都祇園にある美術館「何必館《かひっかん》」に収められた、日本画家村上華岳の代表作といわれる「太子樹下禅那之図」を想起しました。

その画は、菩提樹のもとで修行する、若き日の仏を描いたものであり、まさに鎮魂の作品です。金色の地に浮かび上がる、そのシルエットはあまりにたおやかで、悲しいほどにやさしくて、私は、この画の前で立ちつくしたことがあります。それは、あたかも魂が体から抜け出て、ホタルのように画の中を彷徨《さまよ》うかのようでした。

そのとき、私は思いました。村上華岳は母を描いたに違いありません。浮かび上がる黄金色の仏は、慈愛に満ちた、母なる女性にしか見えないのです。画家もまた母の幻影を追い求めたのではなかったでしょうか。

人生とは、母なる存在、生まれいずるところへ還っていく、果てしなき旅のことではないでしょうか。

山頭火の句の中で、私が最もひかれる句があります。

分け入つても　分け入つても　青い山

阿蘇の火口原のような広大な草原を、墨染めの衣に身を固めた山頭火が一人行くその後ろ姿は次第に小さくなり、遠くには幾重にも連なる青い山並みが続いています。

人間は生ある限り、〝母〟なるものを求めて旅に出ます。

今日も、魂の漂泊者たちが、青い山に分け入っていきます。

六　〝永遠の恋人〟に魅せられて――国吉康雄

十五年ほど前のことであろうか。京都国立近代美術館で開催された、「生誕一〇〇周年記念　ニューヨークの憂愁国吉康雄展」に足を運んだことがあります。そのとき、私は一枚の絵の前で釘付けになり、しばらく動くことができませんでした。それは、「バンダナをつけた女」(一九三六年)と名づけられた、国吉康雄が四十七歳のときの作品です。

娼婦であろう、ひじをつきながら、いかにも物憂げに籐《とう》の椅子に身を委ねています。恐らくニューヨークにそびえる摩天楼の一室に違いないでしょう。喧噪《けんそう》に満ちた眼下の社会を見やる哀愁に満ちたまなざしと、すえた香り漂う、都会の風に舞うほつれ毛が、いかにもニューヨークの夕闇の中に溶け込みそうです。そんな文明社会の片隅に住む、はかなさを一身にまとった女が唯一人、キャンバスに漂っています。

それは、小泉八雲が描いた「雪女」のような、うたかたの存在でもあり、また五社英雄監督が「吉原炎上」で撮った、薄幸の女たちにも似ていました。そんな不可思議な女の姿に魅せられ、一枚の絵の前で身動きが取れなくなっていたのです。

それをもたらしたのは、国吉独特の画風だけではありません。私には、この女性モデルの人生が垣間見えたようにも思えたのです。米国の爛熟した文化がまさに芽吹こうとした一九三〇年代、二十世紀の科学文明の魁《さきがけ》となる大都会で、自分を見失いそうになりつつ、ただ一人懸命に堪えている——そんな社会の底辺で生き抜く女性の息づかいが、今にも聞こえてきそうです。そのためいきが、頽廃《たいはい》的で孤独感に満ちながらも、独特のたくましさを備えた国吉の絵画となって結実しているのです。

国吉康雄は、一八八九年というから、明治の中期ちょうど大日本帝国憲法が発布された頃に岡山で生まれました。そして一九〇六年、ポーツマス条約が締結された翌年、日露戦争の勝利に未だ酔いしれ、国を挙げて「坂の上の雲」を追いかけていた、まさに日本の勃興期に、岡山の工業学校を中退し、単身アメリカに渡りました。

主に、ニューヨークを中心に活躍した都会派の画家で、その恵まれた画才に加え、並々ならぬ研鑽を重ねたことにより、その絵は米国でも高く評価され、一九四八年には「現代アメリカ10人の画家」にも選出されています。

彼の作風は、憂愁と倦怠《けんたい》、孤独などの言葉で表現されています。それは極貧の中、絵画に活路を求め、苦労を重ねた彼の人生からもたらされたものかもしれません。追い打ちをかけるように、日米両国が第二次世界大戦で戦火を交えた間、彼はその高い美術的評価にもかかわらず、〝敵性外国人〟として、米国社会から冷遇されましたが、戦後再評価され、ヴェネツィア・ビエンナーレに米国代表として出品するなど、その実人生は波乱に富んでいます。

私は、なぜ、そのような国吉康雄の絵に惹かれたのか――十五年ほど前に、彼の絵の前でたたずむことになってから、長らくそれは謎でありました。しかし近年、奇しくも彼と同郷の私は、岡山市にあるベネッセコーポレーションを訪ね、その解を得られました。

新幹線が岡山駅に滑り込もうとする少し手前に、ベネッセコーポレーションはあります。私は、その本社ビルの横に「国吉康雄美術館」という表示を見出し、惹かれるようにタクシーを飛ばしました。瀟洒な本社ビルの二階フロアに、私の長年にわたる「恋人」ともいうべき絵が飾られてありました。

私はまた、しばし、たたずむことになりました。三十分はそのままであったでしょうか。そんな私を不思議に思ったのでしょう、受付嬢が話しかけてきました。

「美術関係のお方でしょうか？」

「とんでもない。ただ、この絵に見惚れている者です」

そう答えた私でしたが、やはり一枚の絵の前に身じろぎもせず立ち尽くす姿は異様に映ったに違いありません。しかし、私はようやく積年の疑問を解き得たように思いました。

「バンダナをつけた女」1936年　油彩・キャンバス　国吉康雄　福武コレクション蔵

十五年前に、ただの哀愁と孤独に思えたものが、実は生へのエネルギーに満ちていることを理解したのです。文明のまっただ中、ニューヨークの底辺で暮らす女性は、虚無感に打ちひしがれているのではなく、静かに、しかし生きることに熱きエネルギーを注いでいたのです。

そのたくましさに、私は愛おしさを覚えました。なぜなら、彼女は大都会をさすらう寂寥の身にありながらも、生の本質を真正面から見すえ、雄々しく生き抜こうとしているからです。

生の表面をなでるかのように生きる——悲しくも、それが現代を生きる我々人間の姿であります。しかし彼女は、生の深奥に迫り、その淵の奥深くに沈潜する、生きるということに込められた、その本質を両の眼で捉え、力強く生き抜いています。

そんな「たくましさ」を糧に、この人生を生きたい——私は、これからも、永遠の「恋人」に会いに岡山を訪ねることになる、そんな予感がします。

七　宿命を生きる情念の色――斎藤真一

波濤さかまく鈍色の海に
小雪混じりの風が吹きつける
海際にへばりつき軒を連ねる寒村を
一筋の間道がうねるように走る
旅を続ける女たちの一行が、影絵のように浮かび上がる――

斎藤真一画伯の「瞽女《ごぜ》」の旅を描いた画です。偶然に足を踏み入れた画廊で斎藤の画に出会い、風に吹かれるがごとく心が震えました。

瞽女とは、農村を舞台として旅を続ける盲目の女芸人の一行のことで、三味線や唄などの芸を村人に披露し、米などの報酬を受けて、生活していました。

戦前まで現在の上越市など越後地方では、わらじに着物、背に風呂敷包み、三味線と杖を手に村々を回る「瞽女」の姿がよく見かけられたといいます。

盲目の女性が生きていくことは並大抵ではありません。そのためか、瞽女は親方を中心に組織を構成して、そこには、自ずから厳しい戒律があり、掟を破ろうものなら、追放され一人旅を強いられました。そんな瞽女のことを「離れ瞽女」と呼び、水上勉が『はなれ瞽女おりん』で著しています。

画廊の奥へと足を進めていくと、そんな「離れ瞽女」を描いたものであろう、斎藤独特の画の前で、私の心はさらに大きく揺すぶられました。

北の海に沈まんとする夕陽
ねっとりとした朱の光を放ち
海に臨んだ部屋を鮮血の色に染め上げる
チラチラと赤い火種が残る囲炉裏の脇には
造作なく転がる三味線と
うたかたの愛を結ぶ男と女
その面持ちは哀愁に漂いながらも
魂は深紅に染め抜かれている

そんな紅蓮の炎のごとき斎藤の画の前に立つと、私の視界全てが赤く染まりました。単なる赤ではない、斎藤自身の言によれば、それは「心の中に食い入るように入ってくる赫」でなければなりません。斎藤が赤色に取り付かれたのは、ある瞽女を知ってからのことだといいます。

六歳のときに失明した、その瞽女はいいました。

「目の見えていた幼い頃の一番はっきりとした記憶は、越後の平野に沈んでいく真っ赤な太陽でした。大きなお日さまが、とてもきれいで、きれいで、まぶたの中に今でも焼きついています」

つまり、斎藤が描く赤とは、瞽女が心の奥に秘めていた赤、それは赤ではなく、「赫」でなければならず、続けて斎藤は告げます。「鮮やかで純度が高く、この世では見ることが出来ないほど、透明度のある赫」であると。

画家斎藤真一が強い共感を覚え、生涯のテーマとして描いた瞽女。その多くは、幼くして失明し、親方に預けられました。厳しい芸の稽古を重ね、一人前の瞽女となった女たちは、生涯を雪深い越後の里をめぐり、農村で持ち前の芸を披露することに費やします。

娯楽に恵まれない土地だけに、演じ手と聴衆の間に通う情念もひときわ激しいものがあったでしょう。ときには道ならぬ恋に落ち、父親も分からぬ子を宿し、生み落とした子の行方さえ定かでないことさえあったといいます。

新潟県上越市にある日光寺の本堂には、そんなはかない瞽女たちの願いがこめられた絵馬が多数掲げられています。眼の回復をひたすら願い、お堂にこもり、お百度を踏む、ときには断食を繰り返すも、ついに癒えることはなかった、盲目の女たちの情念が込められているのです。

斎藤真一は、そんな宿命を生きる女の情念に魅せられたのでしょう。あるいは、生きることの哀愁、生まれ出たことの悔恨を引きずりながら、健気に生き抜いていく女たちに、生の本質を感じとっていたのではないでしょうか。

斎藤真一は一九二二年、現在の岡山県倉敷市の味野という、海に面した町で生まれました。父が尺八師範であることから、幼少の頃から日本古来の芸能に親しみ、岡山師範学校でデッサンを学び、十九歳で上京、東京美術学校（現・東京芸大）に入学しました。

卒業後は岡山や静岡の高校で教鞭をとりながら、画風の確立に努め、日展入選の後、一九五九年にパリに留学を果たし、ヨーロッパを放浪します。帰国後、東北地方を旅するうちに、瞽女の存在を知り、生涯のテーマとします。文章も達意で、日本エッセイストクラブ賞を受賞しました。

私はなぜ、斎藤の画に共感を覚えたのか――独特の画風ゆえか。あるいは郷里を同じくすることからか。それだけではありません。社会の底辺にありながら懸命に生き抜こうとする瞽女に、限りない共感を覚えるのです。

「生きる」ということは、様々な苦難のなかを生き抜いていくことでしょう。生の過程とは、試練のなかにこそあるのではないでしょうか。斎藤真一がキャンバス一面に描いた「赫」は、そのような茨の〝生〟を健気に生き抜こうとする瞽女、その魂からしたたり落ちる「情念」の色ではなかったかと思います。

斎藤真一の画の前に立つと、私はいつも風の音を聴きます。それは、宿命を超えて懸命に生きようとする、人間たちの叫喚であり呻吟であろう――「鮮やかで純度の高い、この世ではみることのできない透明度のある赫」で塗り込まれた、斎藤真一の画を眺めるとき、私はいつも風の音に耳をそばだてています。

八 〝瞽女〟の祈りの姿を想う

上越を旅しました。斎藤真一描く「瞽女《ごぜ》」の画に誘われるように、京都を旅立ち、信越本線高田駅に降り立ちました。

駅前は、雪国特有の風情が漂っています。雁木《がんき》と呼ばれる、町屋から張り出した庇が、

斎藤真一「紅い陽の川」(越後瞽女の冬の旅)　部分　1987　個人蔵

ときに四メートルにも及ぶ、途方もない豪雪から人々の生活を守るばかりか、この地方独特の情感あふれる街並みを形づくっています。

ときは五月、見上げれば、緑したたる山並みが遠くに広がっています。この高田一帯は頸城《くびき》平野と呼ばれ、北に日本海が開けているものの、三方は山に囲まれ、とりわけこの季節は妙高山が雪を抱き、ひときわ高くそびえています。

私は駅前のタクシーに乗り込み、「瞽女ゆかりの神社、寺院を訪ねたい」と告げると、運転手は怪訝《けげん》な顔をして、「瞽女のことを聞いたことはあるが、詳しくは知らない。ましてや、ゆかりの場所など訪ねたこともない」と言って、いかにも途方に暮れた風情でありました。私は「何としても訪ねたい。ぜひ案内してほしい」と、渋る運転手をなだめすかし、ようやくタクシーは発車したのです。

瞽女とは、前項でも紹介しましたが、旅を続ける盲目の女芸人の一行のことです。三味線や唄などの芸を村人に披露し、生活をしていました。上越市などでは戦前までは、その姿がよく見かけられたといいます。そんな瞽女の生き様にひかれ、数多くの絵画を残したのが、斎藤真一です。私は、彼が描く三人の瞽女の道行きを描いた画に誘われるままに、新緑の頸城平野を走るタクシーのシートに身をゆだねました。

たどりついたのは、雁田《かりた》神社という小さな社です。うっそうとした小高い山の中腹にたたずむ社殿は、番小屋のようで、いかにもうら寂しく、恐る恐る格子戸を開き、カビくさい臭気をおして、薄暗いお堂の奥に目を凝らせば、千羽鶴と幟がいくつもぶらさがっています。古いもののなかには、瞽女の手になるものもあるはずです。

私が瞽女の「祈り」に思いを馳せた、そのときです。にわかに、社を包む、松林に風が立ち竹林がざわめき、私はかすかな人の声を聞いた思いがして、耳をすましました。聞こえてきたのは、最後の瞽女といわれた、杉本キクイさんの歌でした。

哀切を帯びた、その歌声が、三味線の音にのって、私の耳に届くや否や、周囲に広がる風景は一変しました。おだやかな陽光が降り注ぎ、まぶしいほどに若葉が光り輝く、みずみずしい世界が一転、煙るように粉雪の舞う白銀の世界へと変貌し、私は幻影の中を彷徨いはじめました――。

しんしんと降りつのる雪
うねるような山道をたどる三人の瞽女
笠と蓑で身をくるみ、手には三味線と杖
がんじきで新雪を踏みしめ歩いていく
裳裾からのぞくは、深紅の腰巻きか

瞽女の後を追った私がたどり着いたのは、杉坪山日光寺という古寺でした。目に御利益がある寺院として、人々の信仰を集めたというから、とりわけ盲目の瞽女にとっては、生き抜くための祈りの場であったのでしょう。しかし、今はひっそりと、静寂の中にあり、本堂に足を踏み入れると、そこはまさしく光なき世界に住む人々の、生への願いに充ちあふれた場所でした。朽ち果てたような数多くの絵馬とともに、瞽女のものであろう、多数の硬貨を束ね、ひらがなの「め」という字を大きく形づくった額が掲げられています。

女性の両乳房を立体的に形づくり、絵馬としたものがとりわけ眼を引き、乳房のあちこちに、血痕のようなしみがあります。いつの時代のものでしょうか、すでに退色《たいしょく》が進み、全体が黒ずんでいます。しかし、しみの部分だけが、見る者の心をえぐるかのような鮮血色を放っているのです。

その絵馬の前に、三人の瞽女がひざまずき、願いが成就することをひたすらに祈り続けていて、傍らにたたずむ私に、一人の瞽女が身の上を語り始めました。道ならぬ恋から子をもうけ、育てることができず手放した――この絵馬は、その子に与える空乳房であるといいます。

私も瞽女とともに祈り続けました。どのくらい時が過ぎたのでしょう、私は静かに祈り続ける瞽女を残して幻影から脱したのです。

——日光寺を後にした私は、陽光を求めて、直江津に向かいました。上越市の港町である直江津には、親鸞聖人の旧跡が数多く存在します。一二〇七年、弾圧によって越後に流された親鸞は、以後数年にわたり、ここ直江津の草庵で、人間の生のあり方を問い続けました。

親鸞が上陸したと伝えられている地に立つと、眼前に日本海が広がっています。ここで見る夕日は格別の美しさだといいます。鈍色《にびいろ》の海を見つめていた私は、思わぬことを問い続けていました。瞽女とは親鸞の生まれ変わりではないかと。

人生をさすらいつつ、健気に生きる——私はそんな瞽女を限りなく愛しく、美しいと想います。私の心を名状しがたい何かが、静かに流れ、私の心は透明になっていきました。

眼前に広がる広大な日本海が真っ赤に染まり、その色は、斎藤真一が生涯にわたってキャンバスに描き続けた、透明感のある「赫」そのものでありました。

第四章　陰影の闇に向かいて

一　陰影の水底に、美の魔物がうごめく

帰途についた。

タクシーは、京都の繁華街を抜けて走っていく。商店の軒先には光があふれ、車のライトが煌々と街角を照らし出す。

信号待ちする車の中から、ぼんやりと師走の街を眺める。

昨夜ページを繰ったアメリカを代表する画家エドワード・ホッパーの画集を思い出す。私は、「夜更かしする人々」と題された作品に目が釘づけになった。

深夜の大都会の一角にあるカフェを描く。

カウンターにはバーテンを囲むように、一組の男女とうつむいたままの一人の男。彼らの間に会話が交わされている様子はない。屋外にも人影はなく、沈黙の人々の息づかいさえ聞こえてこない。ただ、店内にも街路にも、人工的な光のみがあふれている。

生きることの寂しさを、極限にまで表現した絵画だ。私には、油彩が織りなす文明の光が、あまりにも鮮やかで、哀しく思えた。

師走の街を行くタクシーは、渋滞でノロノロ運転を続ける。見るともなしに、車窓に映る景色を見やった。

交差点に、コンビニの光があふれ出ている。すでに夜の十一時過ぎ、白日下のような光に照らされたコンビニの中で、一人の中年男が漫画雑誌を読みふける。

原色のネオンに浮かび上がるハンバーガーショップの奥には、若い女性が一人、物憂げに椅子に座る。

光に満ち、あらゆるもののひだまでも容赦なく映し出す、陰影を失った大都会は、妙に寂しく、砂をかむような孤独に満ちていた。

私は、光の渦に耐えきれず、タクシーの運転手に道を急ぐよう促した……。

縁あって、その日私は、京都島原に、かっての遊里を訪ねた。太夫の踊りを見るためであった。島原には今も、輪違屋《わちがいや》や角屋《すみや》という二軒が残り、往時の面影を伝えている。

大門をくぐり抜け、四つ角を曲がると、すぐに輪違屋である。置屋として三百年、お茶屋として百三十年の歴史を誇る。

初冬の休日。初めて訪れた輪違屋は、まさに異界であった。

軒を潜り、裸電球がわずかに照らす、薄暗い内部を手探るようにたどった。ようやく薄明るい空間にたどりつくと、そこは三十畳の座敷であった。

廊下の暗闇の底から、太夫が這い出るように現われた。二本ある燭台の蠟燭の炎が、影のようにはかなげに、真紅の打ち掛けを浮かび上がらせる。

豪壮な衣裳に身を包む太夫の両側を、六、七歳ぐらいであろうか、淡紅の着物をまとった禿《かむろ》が炎の影を映しながら従う。

息を飲んで、私はみつめる。

踊りが始まる。畳をする衣ずれの音のみが、湿った部屋の空気を幽《かす》かに揺らす。燭台の炎に浮かび上がる紅色とおしろいの匂い。踊りが生む風に蠟燭の炎が揺らぎ、光と陰がたゆたう。

私は、炎の揺らめきを眺めつつ、以前にも、このような情景を垣間見た思いがした。画家速水御舟の「炎舞」という画である。

真紅の衣をまとい狂おしげに踊りを舞う女人のように、揺らめく妖艶な炎。その炎の周りを、数匹の蛾が乱れ飛ぶ。

そんな絵であった。

私たちもまた、何かを求めて飛ぶ蛾のような存在であろうか……。私は、ぽつねんとつぶやいた。

蠟燭の炎の揺らぎの中に、坂本龍馬の筆跡という額が、黒い壁に浮かんでいた。

私の想いは幕末に飛翔していった。

坂本龍馬、近藤勇、土方歳三……。時代の中で命をかけて戦った男たち。明日の命も知れない。存在と虚無、華と寂、そして生と死。極限の狭間を生き抜き、女たちとのひとときの逢瀬にのみ心安らいだ。

三味の音が風のようにそよいで、消えていった。

谷崎潤一郎は、『陰翳礼讃』で、次のように語る。

> ……島原の角屋で遊んだ折に……大きな衝立の前に燭台を据えて畏まっていたが、畳二畳ばかりの明るい世界を限っているその衝立の後方には、天井から落ちかゝりそうな、高い、濃い、ただ一と色の闇が垂れていて、覚束ない蠟燭の灯がその厚みを穿つことが出来ずに、黒い壁に行き当ったように撥ね返されているのであった。

陰翳の中にこそ美があると、谷崎は言う。しかし、陰翳の中にある明と暗、正気と狂気の狭間にこそ、美があるのではないかと、私は思う。

その狭間に、人間の情念や幻想、魑《ち》魅魍魎《みもうりょう》が棲む無辺の世界が広がっており、そこに美の根源があるのではないかと……。

どのくらいの時間がたっただろうか。妖しい酩酊感に浸っていた私の脳裏に、一つの物語が浮かんできた。

それは、島原の吉野太夫と灰屋紹益《はいやじょうえき》のロマンである。

当時の京都の遊里は、公家衆や大名衆、さらには大店の町人衆などが集うサロンであった。文化人たちが集い、さまざまな交流が行われていた。

吉野太夫はその美貌だけでなく、芸事はもちろん、香道、華道、茶道、囲碁、双六に至るまですべてに精通していた。そのため、誰しも吉野太夫と席を同じくすることを誇りとし、また魅了もされた。

灰屋紹益。本阿弥光悦の甥、光益の子。紹益は、後陽成天皇の皇子である近衛信尋《このえのぶひろ》と、吉野太夫の争奪戦を展開し、見事、太夫を身請けした。

太夫と紹益は京都東山でともに暮らすが、寛永二十年、吉野太夫は病で世を去った。三十八歳という若さであった。

傷心の紹益は詠んだ。

都をば花なき里となしにけり吉野を死出の山にうつして

驚くのは、次のことだ。

紹益は、荼毘《だび》に付した吉野太夫の骨灰を喰べ尽くしたという。

島原という遊里には魔物が巣くう。魔物は紹益や志士たちを狂気の世界にいざなった。そこは、まさに「妖かし」の世界であった。

私は思う。光と陰が織りなす、その陰影に満ちた「妖かし」の世界にこそ、身震いするような美の世界があると。

二　北の岬に龍を見た

少年時代から小泉八雲の「雪女」や、川端康成の「雪国」の駒子が、雪深い山峡で繰り広げる、燃えるような情念のドラマに、なぜかひかれ続けてきた。

そのためか、阿久悠が作詞し、石川さゆりが歌った「津軽海峡冬景色」を聞いたときに、すべてを捨てるかのようにして雪の海峡の彼方に消えていく女人の姿に、滅びゆくものの美しさと、再生への希望を強く感じ、魅了された。

北国の雪の中には、美しい魔物が住んでいるに違いない。それがはかなげな女人の運命を、少しずつ狂わせていくに違いない……。

そんなことに思いを馳せているうちに、いつの日か、厳冬の龍飛岬《たっぴざき》に一人で立ってみたいという想いが、うずきとなって心から離れなかった。そこに立てば、生きることの本質に触れることができるのではないかと……。

一月のある日、「津軽海峡冬景色」を聞いたとき、私の想いは頂点に達した。

上野発の夜行列車　おりた時から
青森駅は雪の中
北へ帰る人の群れは　誰も無口で
海鳴りだけをきいている
私もひとり　連絡船に乗り
こごえそうな鷗見つめ　泣いていました
ああ　津軽海峡冬景色

ごらんあれが龍飛岬　北のはずれと
……（中略）……

さよならあなた　私は帰ります
風の音が胸をゆする　泣けとばかりに
ああ　津軽海峡冬景色

恋焦がれた恋人との邂逅を求めるかのように、本州最北端に向け、京都を旅立った。青森県北部は、蟹の爪のように二つの半島が陸奥湾をはさみ、突き出ている。右側が下北半島、左側が津軽半島である。龍飛岬は津軽半島側の最北部に位置し、津軽海峡にせり出している。

大阪から飛行機で向かう方法もあった。しかし、あえて列車の旅を選択した。阿久悠が作詞した時代、上野から青森までは夜行列車で約十時間かかった。私にも青森駅に行くために、同じくらいの時間が必要であった。

京都駅から東京駅乗り継ぎで八戸まで新幹線、八戸から青森駅まで東北本線。乗車時間は総七時間に及ぶ。車窓を流れる景色とともに、私の心は次第に高まっていった。七時間の旅は、〝異界〟に足を踏み入れるために必要な助走でもあった。

やっとたどりついた青森駅は、歌と同じように、深い雪の中に沈んでいた。

ホテルで旅装をときながら、深いため息をついた。憧憬の地へやってきたという満たされた想いと、もはや憧れを失ってしまったという喪失感からであった。

深夜、ホテルの窓が地震に襲われたかのように激しく震動する音で目覚めた。おそるおそるカーテンを開けてみた。外は猛吹雪で、小さな外灯の明かりだけが、横なぐりの雪にかき消されまいと、街頭にポツンと立っていた。

青森駅から七十キロメートルほど離れた龍飛岬まで、本当にたどりつくことができるのか、不安に駆られ、なかなか寝つけなかった。

目覚めると、やはり吹雪は続き、窓の外には白一色の世界が寒々と広がっている。私は悪天候をおして、駅に向かった。吹雪を表わすのに、雪が舞うという表現は適切ではない。雪が顔に突き刺さってくるといった表現のほうが正しい。

青森から津軽線に乗り、途中からタクシーに乗り換え、龍飛岬を目指した。どこまでも続く雪の道。道路端がわかるように、両側には点々とポールが立ち並んでいる。路面は白く凍てついているものの、車はスピードをあげて飛ばしていく。フロントガラスを猛烈な勢いでたたく雪煙で、前方はほとんど見えない。

「大丈夫ですか」

不安を感ずる私に、運転手は「大丈夫です」と一言だけ短く答える。車は、陸奥湾に沿った道をひた走る。鉛色の海。波が堤防に砕け散り、空を舞う。飛沫が車の屋根を激しく打ちつける。

　山道にさしかかる。途中、一台の車にも出会わなかった。もちろん通りかかる人などいない。雪に埋もれた田んぼの中に、点々と民家が並び、はるかに雪山がかすんでいる。

　私はふと、「このあたりには瞽女《ごぜ》はいますか」と尋ねた。三味線を抱え赤い裳裾を翻し、芸を売るために雪の中、民家を訪ね行く瞽女を描き続けた漂泊の画人、斎藤真一の絵を思い出した。「聞いたことはありません」という、そっけない返事が返ってきた。しかし私の眼には、盲目の遊芸人が五人、縦一列に並んで、雪深い田んぼ道を歩いていく姿が鮮やかに浮かんでいた。

「もうすぐ龍飛岬です。海は津軽海峡です」

　はっと我に返った。海は激しく逆立ち、吠え、真っ黒い岩に嚙みつくかのようにぶつかる。

　こんな荒々しい海をみたことはない。道の所々に標示されている温度計は、マイナス十度を指していた。

「あれが龍飛岬の灯台です。『津軽海峡冬景色』の歌碑はその近くにあります」

　憧れ続けてきた、小高い雪におおわれた丘が目の前に迫っていた。

　車は息切れするかのようなエンジン音を響かせ、スリップを繰り返しながら、ようやくの思いで丘の頂上に上り着いた。

ますます激しさを増す風と雪。丘の下には、小さな漁村が息を潜める。その前に広がる鈍色《にびいろ》の海は、波頭が白く逆巻き、叫び声をあげ、そのさまは無数の帆船が翻弄され、千々に揺れ動いているかのように見えた。

車を降り、歌碑に近づこうとしたが、車の中からは想像できないほどの強風に、私はすぐには足を踏み出すことができなかった。

顔に叩きつける雪は、微細な粒子となって、皮膚の奥にまで差し込んでくる。丘の下から巻き上げてくる雪煙に、数メートル先の視界さえ閉ざされる。天空からは、猛烈な雪と風が私めがけて襲いかかってきた。

ようやくたどり着いた歌碑は、横五メートル、高さ二メートルほどの御影石でできていた。すぐ後ろに低い柵があり、その下はもう津軽海峡へ続く断崖絶壁となっている。

「せっかくですから、写真をとりましょう」

運転手の声に励まされ、風に吹き飛ばされないように近づき、石碑にしがみついた。冷たいとか、寒いなどを通り越して、手も足も顔も、激しい痛みを感じていた。

間断なく襲い来て、渦巻く雪嵐。私には白い龍が襲ってくるように思え、恐怖さえ感じた。石碑をにぎる手に自然と力が籠もる。

龍飛岬とは無数の白い龍の飛び交う岬だ。

海からも天の底からも白い龍がおそろしい形相で襲ってくる。

それは白い「闇」の世界であった。そのとき、白い「闇」の底を、長い黒髪を風にまきあげながら、静かに遠ざかっていく女性の後ろ姿をはっきりと見た。それは今にも消え入りそうで、哀切きわまる美しい姿であった。

私はいつまでも、その場にいたいという誘惑にかられ続けた。

阿久悠が悲恋の旅をうたった詩の奥底に描こうとしたのは、大都会の黒い「闇」、風雪が叩きつける厳冬の白い「闇」、そしてそれを超越したときにひらけてくる清澄な世界、いわば空《くう》の「闇」であったと私は思う。

岬に立って、初めて知った。

それは、大都会の中で翻弄され、未練を残し、厳冬の海峡を越えて、透明な生の故郷へ帰っていく一人の女の、魂の叫びの歌であるということを……。

帰途についた。

もう二度と来ることはないだろう。そう思う。が、しかしとも思う。また、厳冬の岬に立ってみたいという思いにかられることもきっとある、と。

龍飛岬は恐ろしいほどの沈黙の世界にある。振り返ると、白い龍の飛び交う北の岬は、雪煙の彼方にかすんで見えた。

三　武士《もののふ》たちのうめき声が幻火のように瞬いた

「余呉湖《よごこ》」に、なぜか心惹かれる。

それは「雁の寺」「五番町夕霧楼」などの作品で知られ、私の好きな作家でもある、水上勉の小説「湖の琴」の舞台になったせいかもしれない。

それとも、いくたびもの戦乱で流れた、おびただしい血を吸った湖面が、私を誘っているのかもしれない。

いや、きっと巨大な琵琶湖のすぐ北の山間に潜むようにある、小さな湖に漂う寂寥感や孤独、透明感、清澄な空気に身を浸してみたいと思ったのであろう。

厳冬の二月、一人で余呉湖を訪ねた。

近くの駅からタクシーに乗った。車は幾重にも連なった山裾を抜けるように走った。小さな集落が続く路傍には、二日前に降ったという雪が、まだ白く残っていた。

「あの山がかつて合戦のあった賤ヶ岳《しずたけ》です。北側が余呉湖になります」

運転手の声に彼方を見やれば、すでに山塊が迫っている。

「山ぎわまで行って下さい」

一見、低く浅い山に思えていたが、近づくと、意外に奥深く高い。

小さな案内板には、「賤ヶ岳登山口」と幽かに読めた。人影もなく、夏場のみ営業という登山用ケーブルが、枯れ木のようにたたずんでいた。

そのときである。私の耳に、はっきりと聞こえてきた。

およそ四百年前に、豊臣秀吉勢六万と柴田勝家勢四万の大軍同士が対峙し、死闘を繰り広げた、その雄叫びや悲痛なうめき声が。

それは、はるか山頂から木々の間を駆け下りてきたようであり、地の底から湧いてくるかのようでもあった。

私は、かつての戦場に空ろな思いで立っていた。激しい風が顔面を打つまで、長いあいだ立ち尽くしていた。

「弔いの山……」

独りつぶやいた。

余呉湖は、賤ヶ岳やそれに連なる山々の底に、息を潜めるように静かに沈んでいた。

遠くから見ると、まるで鉛板を嵌めたようにも見えた。

湖岸に車を止め、寒風吹きすさぶ中を、岸に沿い、あてどなく歩いた。人影はない。周囲五～六キロメートルほどの小さな湖である。北側にわずかに集落があるだけで、あとは民家が散在するのみ。枯れた葭《よし》原がどこまでも続き、その底には残雪が沈んでいた。ときおり賤ヶ岳より吹き下ろしてくる雪交じりの風が、湖水を巻き上げる。水しぶきを浴びながら、岸辺に腰を下ろせば、わかさぎか、水底に小さな魚影があった。

冬の風に翻弄されるように、空は明るみを増すかと思うと急に影が差し、不気味な変化を繰り返していた。武士《もののふ》の雄叫びが、今にも鳴り渡るかのような風情であった。

ふと、葭原に人の気配を感じ、立ち止まった。近づいてみると、漆黒の石碑が湖に接して立っている。

碑文には、「菊石姫と蛇の目玉石」と刻まれ、由来が記してあった。

――この地に住む菊石姫という娘が、干ばつに苦しむ村人を救おうと余呉湖に身を投じ、蛇となって雨を降らせた。もはや人間に戻れない姫は、長年お世話になった乳母の病の薬として、蛇の目玉を抜き取り、湖中から投げ与えた。目玉が落ちた石を目玉石という――。

きっと今でも村人たちは、この石碑の前で、祈りを捧げているに違いない。石碑の奥から、姫の情念がにじみ出てくるように思えてならなかった。

私は誘われるかのように、湖岸をさまよい漂った。

湖に面した小さな広場に出た。やはり石碑がある。斎部路通《いんべろつう》の句碑であった。路通は近江で芭蕉に会い、その弟子となった。奥の細道の旅にもひとときき随行したという。句碑には、「鳥共も寝入りてゐるか余呉の海」とある。恐ろしいほど静寂に満ちた句である。

余呉湖には合戦による死者たちや傷ついた武士《もののふ》たちのおびただしい深紅の血が流れたに違いない。路通は、この句を死者たちに捧げたのであろう。

どこまでも静寂《しじま》をたたえた湖面に思いを馳せた。そのとき、眼前が闇に包まれ、壇ノ浦に沈んだ平家の亡霊のように、無数の鎧姿の武者の亡霊が、音もなく、よろめくように迫ってきた。

静かに頭を垂れて、手を合わせた。

そして思った。私は死者たちとの邂逅《かいこう》を求め、ここに来たのではないかと。

漆黒の湖は、巨大な目を失った蛇や、槍を携えた蒼白の武士といった魑魅魍魎たちが立ち現われる魔界に違いないとも思った。

武士たちの霊が棲む余呉湖をあとに次に向かったのも、兵《つわもの》どもの夢の跡、姉川の古戦場であった。それは、あたかも死者たちに誘われるかのようであった。

姉川は、余呉湖から二十キロメートルくらい南、秀吉が築城した長浜城近くに位置する。

東には伊吹山が白く雪を抱き、関ケ原の古戦場が麓に広がる。北には浅井長政の居城であった小谷《おだに》城も近い。

川幅は五十メートルくらいはあろうか。河原に広がる葭原を、まるで大蛇《おろち》がうねるようにゆったりと、姉川は流れていた。

合戦では、織田・徳川連合軍三万四千と、浅井・朝倉連合軍一万八千が両岸に陣取り、壮絶な戦いを繰り広げた。

死者は、両軍合わせて二千六百人、負傷者は三倍に及んだという。

川は血潮で赤く染まり、付近には「血原」「血川」といった地名が今も残り、激戦を窺わせる。一人立ち尽くし、四百年前の惨劇に想いを馳せた。

川岸を埋めつくす葭原の奥底に、得体のしれない獣の気配があった。眼をこらすと、うっそうとした葭のはざまから、大勢の血塗られた死者たちが立ち現われるように感じ、背中に冷たいものが走り、体が硬直するかのようであった。

突然、一羽の大きな鳥が羽ばたき、鈍色の雲の中へと翔んでいった。それを合図に数十羽の群れが追いかけるように舞い立ち、羽音とともに虚空に溶けていった。

鎮魂の調べが冬の風に乗り、琵琶湖や余呉湖の方から流れてくるように思った。

死者を弔うためか、湖北には、多くの寺が散在する。帰途、渡岸寺《どうがんじ》観音堂を訪ねた。

国宝の十一面観音が美しい。井上靖、亀井勝一郎、白洲正子をはじめ文人たちを魅了した観音像は、村人たちの手によって地中に埋められることで、度重なる戦乱を逃れたという。その数、三度に及んだというから、近江の地がいかに戦乱に明け暮れたかが如実に理解できる。

十一面観音像は、そんな凄惨な人間の営みを慈しむかのように、穏やかな笑みをたたえ、迫り来る夕闇の中にあった。私は一人、静かに手を合わせていた。

小さな鎮魂の旅は終わった。

死者たちが織りなしてきた歴史という重層の海を往く、一艘の小舟のように、心は生と死のはざまで漂っていた。

幻火のように瞬き、はるかな時の中に消えていった、無数の武士《もののふ》たちのうめきを聞きながら、私は生きていることの意味を、たった一人でいつまでも問い続けていた。

四　淡い光の底に幽かに春の気配が沈んでいる

二月の淡い光の底に、幽かに春の気配が沈んでいる。

葭《よし》が広がる湖畔に、蜘蛛の巣のように張りめぐらされた水路を、小さな和船がたゆたうように進んでいく。船頭さんが漕ぐ櫂のきしむような音がリズミカルに湖水に響き、ひたひたと舟底を打つ水音が呼応する。

湖面を吹き渡る風に、かすかに枯れ草の匂いが流れる。岸辺には四～五メートルの高さにも及ぶ、茶色に変色した葭が、槍衾《やりぶすま》のように立ち並ぶ。

小舟は葭のトンネルを流れるように進んでいく。私も透明な液体となって、水路に溶け込んでいく。

「この辺りは野鳥の住みかです」

船頭さんの声に、我に返り目をこらす。

見れば、細い水路の先に突然視界が開け、池のような空間が広がる。

そこには、たくさんの鴨が羽根を休め、そばには布袋葵《ほていあおい》が点々と小鴨のように浮かんでいる。

埋め尽くす葭原の中に、川柳や猫柳、野薔薇、桜の木が所在なげに岸辺に立つ。冬の木々は、一葉もなく一花もなく、生まれたままの姿態がひときわ美しい。

桜が咲き、新緑が映える四月ごろには、人々を満載した舟が行き交い、賑わいを見せる水郷の里は、今はまだしんとして、人影も舟影もなく、ただ沈黙の中に身を潜めている。

私は冬の一日、葭の中を進んでいく小舟に乗ってみたくなり、豊臣秀次が築き、今も古い商家が立ち並ぶ近江八幡市を訪ねた。

かつては、日本海からの物資が、琵琶湖を渡り、網の目のように張りめぐらされた水路を通って、近江八幡の城下町まで運ばれていたという。また、その水路は、農家の人々の生活に重要な役割を果たしてもいた。

小舟の心地よい揺れに身を任せていると、二十四歳で肺結核を患い夭折した、立原道造の叙情詩を思い出す。

だれも　見てゐないのに
咲いてゐる　花と花
だれも　きいてゐないのに
啼いてゐる　鳥と鳥

通りおくれた雲が　梢の
空たかく　ながされて行く

青い青いあそこには　風が
さやさや　すぎるのだらう

草の葉には　草の葉のかげ
うごかないそれの　ふかみには
てんたうむしが　ねむつてゐる

うたふやうな沈黙《しじま》に　ひたり
私の胸は　溢れる泉！　かたく
脈打つひびきが時を　すすめる

（立原道造「ひとり林に……」から）


新たな出発へ向けた詩人の魂の鼓動なのだろうか。冷たく清澄な気が虚空に溶けていった。

詩人の美しい魂の調べ。若くして、なぜ、ここまで詩人の魂は純化されるのか――。

私はたった一人で、静かな冬の水路を行く一艘の舟の上で考え続けていた。

「お客さん、お客さん」

はっと我に返る。

舟は、大きな沼のような場所に出ていた。

「うしろを見て下さい」

促されるように振り向くと、葭の群れの中に、人影のようなものが立っている。

「あれが龍神の祠《ほこら》です」

今にも崩れ落ちそうな風情の小さな祠だった。それは、巨大な「龍」の頭のようにも見えた。

見渡すかぎり葭の生い茂った水郷の里は、この「龍」に守られているという。

私は思った。

漆黒の闇の夜に、深い沼の底から一匹の龍が立ち現われ、この辺りに漂う、戦国武士たちの魂の残渣《ざんさ》を飲み込み、浄化してしまうのではないかと。

ああ、このあまりにも清澄な気配が満ち満ちた世界は、きっとそのせいに違いない。

鴨たちも沈黙して動かない。ただ、風に誘われるかのように、小さな波がよどんだ水面を川のように流れていく。

「お客さん、右手に見えるのが、織田信長が築いた安土城があった山です」

「すぐ左手の山が、豊臣秀次の城があった八幡山です」

信長も秀次も、小舟に乗ってこの水路を幾度も幾度も通ったという。

本能寺で紅蓮の炎の中に散っていった信長を想う。秀吉に謀反の嫌疑をかけられ、切腹を仰せつかった秀次の「月花を心のままに見尽くしぬ　何か浮世に思ひ残さむ」という辞世の歌を想い返す。

静かに小舟は流れていく。見渡すかぎり葭に包まれた狭い水路には、今はもう一片の歴史の痕跡も見当たらない。

すべての存在が静謐の中に溶けていく。宇宙の彼方に消えていく。

ここは悲しいほど美しい、誰もいない水郷の里だ。詩人立原道造のように、私は透明になっていく。小さな小さな存在になっていく。

五　津軽三味線の音が奔馬となって宙《そら》を走る

恐山《おそれざん》――この名前が、ずいぶん前から心の底に魔物のように棲み続け、一度訪ねてみたいと想ってきた。

おどろおどろしい名前のせいなのか。前世の魂を呼び寄せる巫女《いたこ》に惹かれたせいなのか。五月一日の開山を待ちかねるように、巫女との邂逅を求め、青森県の最北部、下北《しもきた》半島にある恐山を訪れた。

京都よりひと月遅れの桜が咲きほこり、青森は爛漫の春であった。京都の桜とは微妙に異なる。みちのくの透明な気配のせいか、花影が薄く、はかなげであった。

青森駅から野辺地《のへじ》駅を経て、大湊《おおみなと》線で下北をめざした。列車は、陸奥湾《むつわん》に沿って、下北半島の先端へ向かっていく。

窓外を流れる海は鈍色の光を放ち、どこまでも凪《な》いでいる。海岸線に沿って続く木々は強風のため低く構え、みずみずしい新緑を春の陽光に輝かせていた。ときおり白く浮き上がるように見える山桜が、一人旅の心を慰めてくれる。

——ああやっと来た。

未知なるものへの期待感に胸が高鳴る。

大湊線の終点大湊駅の手前、下北駅に降り立った。閑散とした小さな木造駅舎のそばでカメラを構えている人の方へ振り向くと、はるか彼方に、巨大で奇怪な山塊があった。

ひとこぶ駱駝《らくだ》の背のようであり、得体の知れない獣がいましも頭をもちあげようとしている姿にも見えた。

恐山――響きどおりの山影をたたえる弔いの山をめざし、タクシーは山道をぬっていく。鮮やかに映える新緑と山桜のトンネルが延々と続く。道沿いにときたま現われるひなびた風情の民家が、旅情をかきたてる。

「近くまで来ました。この辺りから硫黄のくさい臭いがします」

運転手の言うとおり、車内に硫黄の臭いがかすかに漂ってきた。臭いは少しずつ強くなり鼻をついて来る。車が木々のトンネルを抜けると、視界が急にひらけた。

「あれが宇曽利《うそり》山湖です」

山間に鉛色の湖面をたたえた火口湖が、沈黙するかのように沈んでいる。湖底におびただしい死者が棲み、水面《みなも》より呪文が立ち昇ってくるようだった。

湖に注ぐ小さな流れには、朱色の小さな橋がかかる。袂に「三途の川」と書かれた朽ち果てたような立札があった。

「橋の向こう岸があの世です」と運転手。向こう岸を見れば、「霊場恐山菩提寺」が、荒涼とした石の砂漠の中に、死者の影のように無表情にある。

憧憬と畏怖とが、心の中で混沌と渦巻いた。

本堂の裏側には、広大な死の谷「賽の河原」が広がる。石ころだらけの河原には草木は一切なく、かすかに硫黄の煙だけが立ちのぼる。無数の小石を積み上げた、幼児の背丈ほどの山が、まるで幽鬼のように立っていた。

七月の大祭と十月の秋参りには、肉親の菩提を弔い、故人の面影を偲ぶ大勢の人が連日境内にあふれるという。しかし今は人影もなく、ときおり空を裂く鳥の鳴き声だけが不気味に響いていた。

小石がうずたかく積み上げられた山影に、隠れるように石碑が立っている。刻まれた文字を追う。

人はみなそれぞれ悲しき過去を持ちて
賽の河原に小石積みたり

私は小石を拾い、小さな墓標をつくる。見渡せば、木造りの小屋が境内に建っている。夢遊病者のように歩を進めた。

近づくと、年老いた巫女の呪文のような低い声が流れてきた。汚れたガラス窓の向こうに、巫女を前に母親と子供が正座している。三人とも微動だにしない。よく見れば、親子の頬に一筋の涙が光る。

見てはならない、恐ろしいものを垣間見たように思い、その場をそっと離れた。

待ち望んでいた巫女との邂逅は、あっけなく終わった。

今、私はまぎれもなく死者の国にいる。

生きながら死者の国に立っている。

異様な浮遊感が襲ってくる。

遠い先祖の声が風に乗って流れてくる。

巫女の声が空の果てから聞こえてくる。

私は透明な存在となって、硫黄の煙の中に溶けていく。恐山は死者と生者の魂が織りなす鎮魂の山だ。

その夜、青森市内の津軽三味線を聴かせてくれる、小さな居酒屋を訪れた。

ホッケや烏賊《いか》など、地元の魚料理に舌鼓を打ちつつ杯を重ねる。旅の疲れか、一杯のお酒で酔いがまわる。

八時になると合図があり、カウンター越しにお酒を注いでくれていた美しい和服姿の娘四人が、三味線を片手に出てきた。椅子に座り、演奏が始まった。

カウンターに座ったまま目をつむる。

三味線の音色は、厳冬の津軽海峡を狂ったように舞う白い龍の叫声のように心震わせる。

小屋の中から漏れてきた巫女が呼び寄せた、死者の嘆きのようにも聞こえる。

心は激しく岩をかむ波頭の中を漂っていく。吹雪の中、白い闇の彼方に巫女の姿が朧《おぼろ》に浮かぶ。客は手を止め、塑像のように動かない。居酒屋は突然、「恐山」に変貌する。美しい娘が巫女の姿に変わっていく。
津軽三味線の音が、奔馬《ほんば》となって宙《そら》を走る。私の魂は一羽の鷗となって、北海のかなたに飛翔していった。

六　「咳をしても一人」、細い雨が港に降りしきる

死界までその尾を垂らす山ざくら
花地獄より歩きくる人の闇
自死情死秋の湖心へ透きとおる
（高岡修句集『透死図法』より）

高岡修さんは、愛媛生まれで現在鹿児島在住の著名な詩人である。お送りいただいた句集を広げると、ページの間より死の臭いが漂ってくる。

梅雨入りの合図のように、細い糸のような雨が、音もなく降り続け、自宅の小さな庭は、まだ昼過ぎなのに、夜のような霧に包まれている。

近くの神社の杜から、ときおりけたたましい鳥の声が、深い静寂《しじま》を切り裂いていく。死の気配が、静かなけむりのように、地の底から沸き上がってくる。

唐突に、自由律の俳人、尾崎放哉《おざきほうさい》の終焉の地、小豆島を訪ねてみたくなった。

なぜなのだろう。

死界まで尾を垂らす山ざくらの風情。高岡さんの世界と、尾崎放哉の世界はどこかでつながっているのかもしれなかった。

咳をしても一人

放哉の代表作である。

放哉は一八八五年に鳥取市に生まれ、一九〇二年に上京し、一高に入学。のちに自由律俳句運動の指導者となる荻原井泉水《おぎわらせいせんすい》と出会う。

一九〇九年、東京帝大を卒業し、句誌「層雲」で活躍。会社勤めののち、京都の修行道場一燈園に入り、托鉢読経の日々を送る。その後、知恩院や神戸の須磨寺に身を置き、最後は小豆島へ渡る。

そして西光寺南郷庵《みなんごあん》が、終《つい》の棲家となった。

南郷庵で三千句という、膨大な数の句を残し、四十一歳で夭折した。


初めて訪れた小豆島の土庄《とのしょう》港は、灰色の季節の底に沈んでいた。汐の匂いが重く漂い、昼前なのに夕暮れに近いような気配が流れていた。

放哉が晩年の八ヵ月間住んだ、西光寺南郷庵は、港から車で五分ぐらいの距離にあった。墓石の建ち並ぶ広大な墓地に沿い、孤独な風貌で佇んでいる。

「尾崎放哉記念館」と書かれた一枚の板がつるされ、土壁に大きな黒々とした文字で、

障子をあけて置く　海も暮れ切る

と、放哉の句が書かれている。

中に入ると、見た目よりもさらに小さく、土間と六畳、二間の質素な住まいであった。訪れる人もなく、たった一人で畳に座った。

小さな庭の一本の松の木が、侘しく揺れる。目の前に広がる墓石の間から、孤愁の気配

が立ち昇ってくる。瀬戸内海は温暖な気候とはいえ、冬には寒風が荒れ狂う日もあったに違いない。

一人で座り続ける、放哉の絶望的な孤独を想う。

入れものが無い　両手で受ける

行乞《ぎょうこつ》の僧の深い虚無に思いをはせる。

南郷庵に来たとき、放哉は重い結核を患い、間近に死の影を感じていたに違いない。空耳なのか、後ろの薄暗い土間の隅から、苦しそうな咳が一つ聞こえてきた。そっと振り返ると、土間の荒壁に黒い大きなしみがある。私には放哉の喀血の痕跡のように見えた。六畳の間に座って、放哉が南郷庵で身を切るように編んだ句を読む。

足のうら洗へば白くなる
一疋の蚤をさがして居る夜中
月夜風ある一人咳して
爪切つたゆびが十本ある

墓のうらに廻る

私の魂は、生と死の間を一艘の小舟になって漂っていく。そこは冷たく、途方もなく暗い夜の海だった。

句集に目をさまよわせながら、私は声にならない声をあげた。

夥しい句の中に一つの異色の句が潜んでいるのをみつけたのだ。

すばらしい乳房だ　蚊が居る

鮮やかな句だ。

孤独に生きる、一人の僧の妄想の世界を詠んでいるように、最初は思えた。

そうではない。私は、一筋の糸を断ち切れない一人の僧の苦悩を想い、生涯につくった膨大な句と、その中に潜むこの異端の一句との落差を考え続けた。

そのとき、二月に青森の棟方志功記念館を訪れ、数々の仏画を見たことを思い出した。

それは仏画なのか、豊満な女体なのか。エロティシズムが匂い立つようでいながら、神々しさとやさしさが、すばらしい旋律を奏でているような版画であった。十七歳で母をなくした志功の、母への鎮魂の画のように思え、深い感動を覚えたものだった。

強い汐風に我に返った私は、やっと句の意味することがわかったような気がした。

それは、放哉が母を詠んだ句ではないかと。

生のありかを求め続けた放浪の果て、鳥取から、小豆島土庄の南郷庵へとたどり着き、重い病気を患い、死の臭いをかぎながら最期に見たものは、母の面影そのものだったのではないか。

生きるということは、母へ還る旅なのかも知れない、と私は静かに眼を閉じる。

風が流れる。草のざわめき。松の揺らぎ。遠くから汐騒が聞こえてくる。

庵の近くにある放哉の墓前に、一輪の花を捧げたあと、波止場近くの小さな飲み屋街を歩いた。

昼の港街は、侘しさが漂う。

電柱の先にしつらえられたスピーカーから、石川さゆりの歌う「波止場しぐれ」が流れてくる。

　波止場しぐれが降る夜は
　雨のむこうに故郷が見える

ここは瀬戸内土庄港
一夜泊まりのかさね着が
いつかなじんだネオン町
（作詞吉岡治　作曲岡千秋）

細い雨が降り始め、私はひとり身をすくめた。

七　二つの孤独が新宿にうごめいていた

深夜、写真界の鬼才といわれる、森山大道の写真集『新宿＋《プラス》』を繰る。窓を開けると、外は細い雨であった。

神社の森奥にひそむ鳥の声が、漆黒の闇からうめくように聞こえる。その押し殺した響きは、まるで一葉一葉の写真から湧き出ているかのようであった。

森山大道は一九三八年、大阪に生まれた。写真家として数々の栄誉ある賞を受け、日本はもちろんのこと、世界各地で個展が開催されている。

現代を鮮やかに切り取ってみせる、稀代の写真家である。

『新宿＋』は、迫真のモノクロ写真が三百ページにもわたり圧巻である。新宿という街の表情を、匕首《あいくち》のように見る者に突きつけてくる。

無表情に建つ高層ビルディング。

路傍に座る若い女たちの崩れた姿。

ネオンの影を背を丸めて歩く一人の男。

崩れそうな壁には夥しい反吐のような染み。

ベンチに横たわる行き倒れの男。

迷路を行く抱き合った男女。

露地を覆う蜘蛛の巣のような電線。

その下をただ一人往く女の後ろ姿。

密集した家屋の狭間で餌を貪る一匹の猫。

ページを繰るごとに、薄暗い画像の中から浮かび上がってくる、人間の生が放つ悲しみの数々に言葉を失う。

新宿をさすらう旅人、森山大道が私たちに語りかけてくるものとは何か。

それは、都会をさまよう人々の、砂を嚙むような孤独なのか。ひりひりとするような皮膚の痛みなのか。それとも、人間という存在そのものへの問いかけなのか。
部屋に忍び込んでくる闇の気配の中で、モノトーンのページを静かに繰りながら、生の確証を求め、カメラを片手に、都会の片隅を徘徊する森山大道を想う。魂の写真家に誘われるように、初めて新宿を訪れた。

赤やピンクの極彩色の光の束が
巨大な竜巻となって立ち昇る
梅雨の重く垂れた雲が
炎に赤く焼けただれ
得体の知れない羽根を広げた蛾のように
中空にとまって動かない
脂粉が風に舞い
長い黒髪が揺れて
女が闇に溶けていく
暗がりの底から湧いてくるように
立ち現われる男と女

やるせない音楽が横丁から流れてくる
安酒の匂いが路地を漂う

新宿の街には、猥雑な気配が一番似合う。喧噪の底にエロティシズムが潜み、そのさらに奥底には、死の臭いが幽かに流れている。

私はその残酷な香りに酔ったのか、めくるめく光の渦の中で、かすかな眩暈《めまい》を感じ、眼を閉じた……。

迷宮に迷い込んだ。

欲望が原色の光となって弾け飛ぶ、異界であった。

行き交う人同士の肩が触れ合うほど、狭い通りが幾筋も交差し、界隈には小さな酒場が身を寄せ合うように並んでいる。

何百軒あるのか。そのほとんどの店が、五、六人がやっと座れるくらいのカウンターしかない。

街灯のほのかな明かりに虫が舞い、軒先に置かれた植木鉢のそばには、子猫がまどろんでいる。

打ち水が淡く光る。ふと見上げる目線の先には、「新宿ゴールデン街」と、鮮やかにネオンが光る。

一軒の店の扉に、「森山大道写真展」と記されたポスターが無造作に留めてある。

誘われるように扉を押した。

古ぼけたスピーカーから、低く演歌が流れてくる。

小さな椅子に座る。

疲れているのか。グラスに注がれた酒を一口飲むと、腹に染みわたり、すぐに酔いがまわる。

突然、隣の客が、直木賞や谷崎潤一郎賞を受賞した田中小実昌《こみまさ》、通称コミさんであることに気づいた。

コミさんは、この界隈の常連で、夜ごと繰り出した。権威や権力の外で暮らす庶民の生きざまをしみじみと描いて、多くの人々の共感を得た。

七〜八年も前になるだろうか。滞在先のロスで客死したはずである。

しかし、目の前に、いつものようにドングリに似たペロッとした風貌が座っている。頭には、毛糸の帽子をかぶり、もうすっかり酩酊気味である。

「いい加減な男ですよ。ばかな酔っ払いですよ。つまらん小説をボチボチ書いているだけですよ」

いつもの言葉を繰り返すと、コミさんは椅子から降りて、フラフラと立ち上がった。私に向かってヒョイと手を上げ、ドアを押して出て行った。

後をつける。

後ろ姿の影が薄い。周りは森山大道の作品のように、モノトーンだ。

コミさんは目をしばたたかせ、ショボショボと歩いていく。

歓楽街の光が、しだいに遠くなり、渦のように舞っている。

田中小実昌は、ゴールデン街に接する花園神社の暗がりに向かい、闇に溶けるように消えた……。

待っている森山大道に会いに行くのかもしれない。

私は、都会の片隅で生きることを問い続けた、二人の男に思いを馳せた。

新宿は冬が似合う。雪の舞うときに来てみたい。

八　わが孔雀は永遠に飢えたり

今年の四月、一葉のハガキが届いた。

「……遊歩人の〇七年十二月号エッセイ楽しく読ませて頂きました。私は四郎の長男の晃一です。……私は吃驚してしまってお便りが遅くなりました。昨秋、家内と京都旅行をしました。実相院の紅葉と圓通寺の庭と樂美術館を堪能して来ました。伊藤様のエッセイも晩秋の京都。何という偶然でしょうか。奇縁に乾杯」

と記してあった。

最初は、どなたからの便りかよくわからなかった。何度も読み返してみて、私のほうが驚いてしまった。

高校時代より、抒情性と哲学的思索を文学的に昇華した、その数々の詩に深い感銘を受け続けた、村野四郎の御子息であろうとは——。しかも、一部上場会社の社長であられるとは——。

私は長い時間をかけて、青年時代に向かって、我が人生のページを繰り続けた。ひもとくごとに、私の魂は、はるかな時空を飛翔していった。
しばらくたって、一冊の本が村野晃一氏から届いた。『飢えた孔雀——父、村野四郎』
というご著書であった。
ある土曜日、一日をかけ、詩人の生の軌跡をとぼとぼと追い続けた。
北原白秋の「邪宗門」等との出会い。自由律の荻原井泉水、「層雲」の同人に迎えられ
たこと。さらには萩原朔太郎、草野心平、高村光太郎をはじめ数々の詩人との出会い。
そして、命を振り絞るように詠んだ、数多くの詩。

さよならあ　と手を振り
すぐそこの塀の角を曲って
彼は見えなくなったが
もう　二度と帰ってくることはあるまい
……
（詩集『亡羊記』「塀のむこう」から抜粋）

読むたびに、私も二度と帰れない思索の迷路をさまようようであった。

著書の中で紹介されている、晩年の村野四郎の素晴らしい詩に遭遇した。それは次のような詩だ。

白い髪の翁と媼が
箒とクマデをもって
海辺の岩石のあいだに　たたずんでいる

あれは　どこの世界のミラージュか
あるいは男と女の関係の
いかなる流転のなれのはてか
ときどき　ばさり翳さして
鶴のようなものが下りてくるが
漁るものなどなんにもない
このすさまじい岩のある世界
窮極的なものは　すべて
あのように寂寥に削られているものか

肉を離れても
容易に死ねないものが
ああして砂の上に生きているのだ

さざなみは　無数にかがやきながら
永劫に　音もたてず
どこへ移動していくのでもない
周辺は　ただうららとして
日が出ているのか
出ていないのかもわからない

（詩集『藝術』「蓬莱」）

私は生きること、死ぬことの深い静寂《しじま》をさまよっていく男と女の姿が脳裏を離れない。すさまじいほど静かな世界で立ち止まる。

村野四郎のたどり着いた、乾いた抒情の世界である。

「層雲」で出会ったであろう、山頭火や放哉と同じ思想が、深い意識の川底を流れているように思える。
村野四郎は最後に、次の詩を残した。

落柿舎には
蓑と笠とが下がっていたな
「五月雨や色紙へぎたる壁の跡」という
芭蕉の句もかかっていた

屋根はくされ　框も朽ち
去来の墓石も
土にのめりこんでいたが

田圃のげんげや
生垣のツツジたちは
いまや　いちめんに花ひらこうとしていた
わたしは

ひどく疲れて帰ってきた
卓子の上に足をのせても
椅子に足をくんでも
なぐさまず
どうしようもなく疲れはてていた
もう　この世には
わたしの空間はないかのようであった

宿の夜は
果てしもなく長く
そして　深かった

（詩集『藝術』「嵯峨の宿で」）

厳しい創造の世界に生涯をささげた詩人が、自らの死期を感じながら、最後に見たものは何であったのであろうか。
翌日、落柿舎《らくししゃ》との邂逅を求め、嵯峨野を訪れた。

熱風が地面から沸くように立ち昇ってくる夏の日、汗が額からしたたり落ちる。散策する男女は、犬のように荒い息をはいて行き過ぎていく。

斎宮で有名な野宮《ののみや》神社を訪ねたあと、竹林の中の細い道を歩む。風は止まり、竹の葉は微動だにしない。

暑さのせいか幻覚が襲ってくる。

すぐ目の前を、村野四郎の背中が往く。後をつける。落柿舎がみえる茅葺《かやぶ》きの小さな庵は、燃える夏の光の中で、不思議なほどの静寂の中に佇んでいる。

詩人が、庵の門をくぐり抜け、静かに入っていく。後に続く。庵には誰もいない。正面の土壁に、蓑と笠が寂しく下がっている。

さほど大きくない庭の隅に、苔むした石碑がぽつねんとある。

――五月雨や色紙へぎたる壁の跡

と読める。

詩人はいつの間にか庵に消え、私一人が佇んでいる。

そのときだ。

突然、庵を覆う木々が大きくざわめき、無数の葉が舞い落ちる。一羽の大きな鳥の姿が見える。

孔雀……。

驚いて見上げる。それは一瞬の出来事であった。大きな鳥は、七色の光芒を放って、虚空に消えていく。

夏の日差しの中で、私は深い寂寥に包まれる。

村野晃一氏は書く。

「村野四郎の辞世は、『わが孔雀は永遠に飢えたり』である」と。

九　生と死のはざまに灰色の柩《ひつぎ》が……

初めて訪れた有明海に近い柳川《やながわ》(以下柳河)は、水に浮いた市《まち》であった。

北原白秋の第二詩集『思ひ出』の最初に、「わが生ひたち」が載っている。

私の郷里柳河は水郷である。さうして静かな廃市の一つである。

(中略)静かな幾多の溝渠はかうして昔のまゝの白壁に寂しく光り、たまたま芝居見の水路となり、蛇を奔らせ、変化多き少年の秘密を育む。

水郷柳河はさながら水に浮いた灰色の柩である。（抜粋）

水に浮いた灰色の柩——この言葉は妖しい光を放ち、人々を誘う。作家福永武彦は、白秋の「さながら水に浮いた灰色の柩である」の一節の虜になり、哀感漂う、『廃市』という小説を生み出した。

小説の主人公である「僕」は大学生。卒論を書くため、柳河の旧家でひと夏を過ごす。そして男と女の情念の世界を、一匹の蛍のように彷徨っていくことになる。旧家の美しい姉妹と姉の夫が織りなす、悲しくも美しい人間の性が、運河の流れとともに、抒情的に描かれる。物語の最後に心中する夫と愛人。生と死が運河の中に融けていく。

映画監督の大林宣彦も、「灰色の柩」にとりつかれ、『廃市』という小説と同名の映画を撮り、柳河の光と影を、美しい映像へと昇華させた。

そんな柳河は、燃えるような八月の日差しの中にうずくまり、沈黙していた。

一度訪れてみたいと思い続けていた私にとって、まさに憧憬の市《まち》であった。

なぜか水郷や山間に潜む小さな流れ、野草や花の咲き乱れる堤の向こう側を静かに流れる河川が好きだ。小川には小さな蟹が岩蔭に隠れていたり、得体の知れない小さな獣たちが草叢に潜んでいる。川の流れの中では、ガラスの破片のように、小魚の鱗が光を放つ。

体の底を、田舎の少年時代の数々の体験とともに幾筋もの川が流れ、それが柳河へと私を呼ぶのかもしれない。いや、「灰色の柩」が私を誘うのだ。

観光客も少なく、閑散とした真夏の柳河は、まさに運河の市であった。城を守るため、柳河藩主が城下に迷路のように運河をめぐらせ、住民の物流にも使われてきた。

有明の海に陽が沈むころ、和船に乗り、ひとときの旅人となった。

揺れることなく、船は静かに進む。船底を打つ波の音は軽く、心地よいリズムを刻む。水は緑黒色をたたえ、草の匂いが漂う。鴨が点々と浮き、西日に川面が鈍く光る。

低い石垣が続く。洗濯場や水汲場がひっそりと現われる。人影はない。風も動かない。船から見上げる空は広く深い。低い石橋を潜り抜ける。

青色の夜の帳が降りてくる。両岸の草むらに光るものがある。露の光なのか、小さな動物の眼なのか。ただ怪しく光る。

和船は、木々に囲まれた暗い夜の中にすべり込んでいく。そこは深い沈黙の森だ。私は幻想の世界を彷徨い始める。岸辺の草木の蔭に、白い気配が風のように流れる。

ふと目を凝らす。

着物姿の女性であった。確かめる間もなく、暗がりの中に消えていく。そのとき、眼前の川面が、一筋の線になり波打った。

目を凝らす。

大きな蛇であった。女性が消えた暗がりを追うように、蛇は水面を走り、岸辺の草叢に消えた。それはまさに一瞬の出来事であった。

柳河に生まれ、命を絞るような数々の詩を生み続けた白秋の化身なのかもしれない。あるいは『廃市』で心中した男女の化身なのか。

前方より一般の和船が静かに近づいてくる。船頭はじめ人の気配はない。ただ船の真ん中に白いものがぼんやりと見える。

さらに近づいてくる。灰色の大きな柩であった。

何処からか白秋の詩が聞こえてくる。

ほうつほうつと蛍が飛ぶ……
しとやかな柳河の水路を、
定紋つけた古い提灯が、ぼんやりと、
その舟の芝居もどりの家族を眠らす。
（詩集『思ひ出』「水路」より抜粋）

蛍の季節は、はるかに過ぎた。蛍のころに、再び柳河を訪ねたい。
「灰色の柩」を求め、白秋も武彦も大林監督も旅を続けた。いや今も続けている……。

季節は流れた。
秋風が吹く。どこまでも深い虚空を見上げる。生と死のはざまに向かって、「灰色の柩」を載せた透明な舟が静かにのぼっていく。

第五章　あやかしの旅へ

一　底なしの大きな渦に巻き込まれていく

夕暮れの東京、浅草雷門。巨大な門に大きな赤い提灯がぶらさがる。浅草寺に続く参道の両側に並ぶ土産物店。細い通りは人で埋まり、客を呼び込む威勢のよい声が、秋の透明な空気を破る。

異常に暑い日が続いた夏も過ぎ、暦どおりの秋風が吹いてくる。風の中に隅田川の水の匂いと夏の残渣が幽かに潜む。

さんざめく参詣の人々の声。店先に溢れかえる赤や青のけばけばしい色の多種雑多な品物たち。どこからか太鼓や笛の音が夕風に乗って聞こえてくる。

郷愁に満ちた、か細い、か細い水の流れが、心の底を浸し始める。幾度も浅草を訪れたような既視感が華やぎの中に溶けていく。

誘われるように浅草寺の裏道を歩く。細い路地をはさんで、古い民家が背を寄せ合うようにたたずむ。わずかな家の隙間から、ふいに黒猫が現われる。

淡い紫色の暮色の中を、黒い人影がゆっくりと行き交い、くぐもった笑い声や嬌声が、夕の空気を揺らす。

狭い路地の軒下には点々と提灯が下がり、通り過ぎる着物姿の女性が一瞬、幻影のように浮かび上がり、消えていく。

脂粉の匂いが漂う。線香の煙が流れ、夜店の客引きの声が響く。いずれの花か、軒下に並んだ植木鉢から甘い香りが匂う。路傍の小さな祠には、花や線香が供えられた地蔵がたたずむ。

浅草は迷妄の街だ。

半世紀前に時計が戻り、横丁からひょいと日和下駄を履いた着物姿の永井荷風が現われる。右手に蝙蝠傘を持ち、飄々と風に揺れるように歩いていく。

路地裏から三味の音が流れ、荷風は立ち止まり、耳を澄ます。娘たちの秘やかな笑い声が流れる。誘われるように、荷風は浅草六区を目ざし歩き始める。

映画館や演劇場が軒を連ねる歓楽街。踊り子の背を抱いた荷風が現われ、さんざめく景色の中へ静かに消えていく。酩酊した足取りに合わせ、踊り子の影が揺れている。

荷風は「断腸亭日乗」という膨大な日記を残し、一九五九年（昭和三十四年）、七十九歳で亡くなった。

最期の年。一月二日から一月十日まで、毎日浅草を徘徊。一月十一日から二月一日までは記録がなく、二月二日から三月二日まで、再び毎日浅草を徘徊している。そして、三月二日に病臥、四月三十日に没。

荷風は、生来の「旅師」であった。

民俗学者の赤坂憲雄氏はそのエッセイで、荷風を「奇矯なる旅師」と表現した。若山牧水、国木田独歩もまた「旅師」であるという。

私は「旅師」という言葉に衝撃を感じた。「旅」とは、非日常を求める営みだ。日常から脱する営みこそが旅なのだ。

しかし「旅師」は違う。

「旅師」とは、生きることの本質を探し求め、彷徨《さまよ》い続ける、漂泊の旅人のことではないだろうか。

荷風は、心の中の飢餓感と不安に苛まれ続けた。踊り子や三文役者やピエロ、遊芸の人に思いをはせた。そして、浅草の町や人々の中に生きることの意味を求め、「旅師」と化した。

「朝に生まれ、夕に死す」、それを繰り返す旅人ではなかったか。

私も、下町の魔界を彷徨い続けた。一軒の古びた小料理屋に入る。青いのれんが幽かな風に揺れている。

カウンターの奥から、品の良さそうな女将が愛想よく迎えてくれる。カウンターの前には、六つくらいの椅子が並び、三人の先客が座る。

右端の中年男性は酩酊し、カウンターにうつぶせとなり、ぼそぼそと独り言を言っている。左端の初老男性は毎日来るのか、女将と親しげだ。もう一人は若い女性。片言の日本語を操る。私と同じように、この店に彷徨い込んだ口だ。

めざしの干物で飲む焼酎が、臓腑にしみ込む。振り返ると、薄汚れた壁に大きな写真と色紙が貼ってある。見慣れた毛糸の帽子をかぶる田中小実昌さんの写真、そして野坂昭如さんの色紙だった。

色あせた色紙には、「死シ身中の虫」とある。酔いがまわり始めた頭の中で、刻むように文章を記し続けた稀代の作家に思いをはせた。

小実さんも野坂さんも、新宿か浅草の街を訪れ、毎夜一人で静かに飲んだという。

さらに酔いがまわる。ああ小実さんも野坂さんも、荷風と同じように魔界にとりつかれた「旅師」なのだ。情念の街に潜む、生のありかを探し求め、毎日旅に出かけたのだ。

「お先に失礼します」

ビールを飲んでいた女性が席を立つ。後ろを振り向き、彼女も旅師なのかと一人つぶやいてみる。

ふと脇を見やると、鬼籍に入ったはずの荷風と小実さんが二人、静かに酒を飲んでいる。狭い小料理屋に旅の風が流れる。静寂なのか寂寥なのか、その風は、私の心の奥底から吹いてくる冷気のように、火照った身体を冷やしていく。

不思議なことに、女将が恐山の巫女に変貌する。前世の魂に語りかけるような祈りの声が、つぶやくように聞こえてくる。

小料理屋は、賽の河原にぽつねんとある、巫女の部屋に変わっていく。死の臭いが小料理屋に満ちてくる。

——「旅師」とは、生と死のあわいを一人でいく旅人——

酩酊の底に沈んでいきながら、もう一度つぶやいてみる。

酒のせいなのか。私は底なしの大きな渦の中に、どこまでもどこまでも巻き込まれていった。

二　北の白い犬が幻視行へいざなう

青森に初雪が降ったという。

眼を閉じれば、しんしんと降る雪の中を、コートの襟をたて、降り積もった雪に足をとられながら、北の街を彷徨う私がいる。そして、いつしか私は、一匹の白い犬となって――。


二月、初めて冬の青森を訪れた。

京都は春のような陽気であったが、青森駅は深い冬の中に沈んでいた。

雪深い北国の街に漂う、憂愁のような気配にひかれ続けてきた。温暖な土地に生を受けた者の性《さが》かもしれない。

駅に降り立ったのは、昼過ぎであったが、すでに夕暮れのような灰色の気配が漂い、空はどんよりと、駅前の雑居ビルの屋上にまで垂れ下がっていた。

街灯に群がる蛾のごとく、雪はときおり狂ったように舞った。一人旅の心もとなさは、身を寄せる岸辺すらない「孤舟」にたとえるにふさわしい。

めざす青森県立美術館は、すっぽりと雪と風に包まれ、所在なげにたたずんでいた。

「五時で閉館ですので急いで御覧下さい」

受付の女性の声に押されるように、当地出身の画家や棟方志功の絵を、駆け足気味に鑑賞しながら、館内をめぐった。

宏壮な美術館でもあり、旅の疲れも重なり、ふと足をとめて見上げたとき、窓の外に巨大な白い彫像が現われた。

吹雪まじりのはかなげな陰影の中に浮かぶ、その全貌をすぐにはとらえることはできなかった。

眼をこらし眺めてみると、十メートルはあろうか。巨大な一匹の白い犬であった。

腰を下ろし、前足をそろえ、首をわずかに傾げている。大きな耳は力なく垂れ、しんしんと降る雪がこんもりと積もっていた。

ああ、こんな孤独で寂しい犬は見たことがない……。思わずつぶやいた。

「あおもり犬（作・奈良《なら》美智《よしとも》）」とある。

わずかに伏せた眼が、心の闇を見透すように、深い思索に満ちた静かな表情を醸し出している。

雪の中でいつまでも沈黙を続ける白い犬の姿は、私の心の奥底に潜み、いつまでも根雪のように消えなかった。

五月、再び青森に旅立った。

小川原湖の辺りにも、ようやく訪れた春の空気に溶け込むように、桜がはかなげに咲いていた。

大きな湖は、澄んだ湖面に花片をうかべ、憂愁の風情をたたえている。

まるで、沈思する孤高の詩人のようで、華やぎの中に寂しさを秘めた不思議なたたずまいを見せていた。

寺山修司記念館は、そんな湖畔の小高い丘の上にあった。

寺山修司が青森出身であることはあまりに有名である。人間の奥底に潜む情念を表現するような、北国が生んだ鬼才の作品に、私は永く魅了されてきた。

しばし記念館をめぐったが、来訪者は私一人。静寂だけが、私に影のようにまとわりつき、いつまでも離れなかった。

裏手にまわれば、湖面を見下ろす小径がどこまでも続いていた。たどれば、桜の花片が小雪のように舞い、小鳥のさえずりが遠くに響く。人影もなく、私の足音だけが林間にこだました。
身の丈ほどはあるだろうか。やがて巨大な本を開き、立てたような歌碑の前に出た。寺山の代表作が刻まれている。

君のため一つの声とわれならん失いし日を歌わんために
マッチ擦るつかのま海に霧ふかし身捨つるほどの祖国はありや

歌碑の前には、なんと一匹の白い犬がたたずんでいる。前足をそろえ、歌を鑑賞するかのように、首を傾げている。
犬に近づく。動かない。頭をなでる。白い犬をかたどった彫像であった。石造りの犬の背に、一片の花弁が蝶のように止まり、幽かに揺れている。北国の五月の空は、抜けるように、どこまでも青く澄んでいた。

満月に墓石はこぶ男来て肩の肉より消えてゆくなり
夢なりきくじ引きで死をひきあてし花ざかりの森にひとり待ちしは

寺山の歌には幽かに死の臭いが漂う。口ずさむとき、耳には呪文のような、おどろおどろしい音楽がいつも流れる――さあ、「奴婢訓」の舞台の始まりだ。

半裸の男女が演ずるのは、土俗的な猥褻さのなかに潜む、人間の孤独感や欲望の空しさ。突然、一人の女が痙攣を起こし、狂ったように踊り始める。激しくはじける音楽。飛び散る汗。

虚空《そら》にのばした白い手が、何かを求めるようにつかむ、つかむ、つかむ――。

巧妙につくられた人形が演じる舞台劇の世界から我に返り、妙な酩酊感に浸っていたとき、突然一匹の小さな白い犬が、私の眼前に現われた。

誘うように前を歩いていく。「あおもり犬か」、つぶやきながら後をついていく。しかし、白い犬はやがて虚空へと消えていった――。

私は思った。白い犬とは、北国の情念そのものなのであろう。

孤独、沈黙、寂寥、思念――雪におおわれた北の大地には、白く静かでありながら、妖しくうごめくマグマのようなものがある。

それは北国に住む人たちの深い静寂の思いであり、誰しも逃れようがない、人間の性のようなものかもしれない。

北国が私を誘う。

小雪舞う中をどこまでも歩いていきたい――。
北の幻視行には、きっと白い犬との邂逅が待っている。

三　季節はめぐり、人は移ろう

古都の北に位置する下鴨神社を歩く。自然を残した「糺《ただす》の森」が広がる。「瀬見《せみ》の小川」と「泉川」、二本の小川が流れる洛北の杜の、季節の循環はただ美しく、そしてもの悲しい。

春。薄く透き通るような桜が、風花のように宙を舞う。境内を流れる清冽な「瀬見の小川」は、華やぎを深く沈め、沈黙している。

白、黄、斑模様の蝶たちが糸をひくように淡い残像を残し、川面を飛翔する。岸辺の小石で休む塩辛蜻蛉《しおからとんぼ》は、しばし遠い記憶をたどり寄せる――私は山峡の町の河岸にたたずみ、ただぼんやりと行く水の流れを眺めていた。

傍らの小さな神社の境内には少女の笑い声が響き、木立ちの中には隠れん坊に興じる少年たちが見え隠れする。母が夜なべをして残布で作ってくれたグローブを手に、日がな一日ボールを追った。

見上げれば、滝田ゆうが描く、木造の古い家並みが夕照の中に浮かび上がる。どこの家からか、雑音混じりのラジオの音が漏れてくる。いつしかそれは、教科書で習った三好達治の詩へと変わっていった。

あはれ花びらながれ
をみなごに花びらながれ
をみなごしめやかに語らひあゆみ
うららかの跫音《あしおと》空にながれ
をりふしに瞳《ひとみ》をあげて
翳《かげ》りなきみ寺の春をすぎゆくなり
み寺の甍《いらか》みどりにうるほひ
廂々《ひさしひさし》に
風鐸《ふうたく》のすがたしづかなれば
ひとりなる

わが身の影をあゆまする甃《いし》のうへ

一瞬の春は、宙を舞う花片のように、時空の彼方へ流れていく。

夏。暮れなずむ宵。静寂《しじま》の底を、秘めやかに「泉川」が流れる。小さな石橋の上で眼を凝らす。蛍火であろうか。草叢に小さな灯が二つ三つ明滅する。宙を彷徨《さまよ》う光たちは、魂の乱舞にも似て、人々を誘う。

犬の遠吠えが遠雷のように響いた。薄暗い木立ちを、小鳥たちの押し殺したような鳴き声が貫く。

一瞬、深まる静寂。夏は蛍火のようにはかない。

秋。風に誘われた銀杏の葉が、驟雨《しゅうう》のように「糺の森」に降りそそぐ。幾重にも絵の具を重ねたキャンバスにも似て、境内は真黄色に染め上げられる。

見上げれば、紅葉が真紅の傘のように広がる。落葉した木々は、無数の指で透明な空をつかみとろうとするかのようだ。わずか枝に残る紅葉は幻花のように美しい。幽かな風に、金魚が深紅の尾ひれをなびかせ、空に向かって泳ぐように散っていった。

秋の空は無数の透明なガラスの破片をちりばめたように、どこまでも清澄に美しく輝く。時折、聞こえる鴉《からす》の鳴き声が寂寥の思いを深める。境内のせせらぎは、銀杏や紅葉、そして名も知れぬ落葉を乗せ、木立ちを縫うように流れていく。

蒼穹《そうきゅう》の奥より幽かに聞こえる旋律は、白魚のような細く長い指がつまびくハープの演奏に似て哀愁を誘う。「美しい」、思わずつぶやいてみる。八木重吉の「素朴な琴」という詩が口をついて出る。

この明るさのなかへ
ひとつの素朴な琴をおけば
秋の美しさに耐へかねて
琴はしづかに鳴りいだすだらう

短詩に込められた秋は、悲しいほどに繊細で美しい。

一千年の歴史を誇る社殿の前に立つ。季節はめぐり、時を重ねる。悠久の流れの中で、人間だけが移ろいゆく。生と死は、ひらひらと舞っていく、ひとひらの花片のようにはかなく、淡い。

四　春の宵の幻想舞踏劇は、美しく、そして哀しい

清水へ祇園をよぎる桜月夜こよひ逢ふ人みなうつくしき（与謝野晶子）

美しい歌に誘われるように、今宵も旅師になる。

ときに、京都東山にある円山公園は爛漫の春。池の周囲や歩道に沿い、おびただしい桜木が華麗な花影を落としている。

無数の花片は柔らかなふくらみをたたえ、まるで艶やかな着物をまとう女人のよう。豊満な女人たちの列が、こちらに向かい、進んでくるような錯覚にとらわれるのは、花々の秘める擾乱《じょうらん》のせいか。

人々の群れに、地面は酔ったように揺れていた。

露店で焼くイカの匂いと煙が霞みのようにたなびき、店々からは威勢のよい呼びこみの声が聞こえる。風が吹くと、煙が流れ、花の匂いに満たされた。

ランプの明かりが池の水面《みなも》に映え、揺れている。男女のさんざめきが辺りを漂い、近く

の八坂神社の五重塔が闇に融けていく。

祇園の街の灯りが、桜の花々の影で小さく揺れ、遠くのかがり火が赤々と狐火のようにたゆたう。

公園の中央には、巨大な枝垂れ桜が孤影を見せる。その姿は、大勢の侍女を従えた皇女のように優雅でありながら、凛としている。

人々は、そして私も、「彼女」との邂逅を求め、毎年、ここにやってくる。花の精と人間との一夜の交情に狂おしく酔いしれるために……。

「円山の枝垂れ」は、巨大な幹をたたえ、十メートルはゆうに超える高みから、人々を睥《へい》睨《げい》する。無数の枝が花の重みにたえかね、柳のように垂れ下がる。

この桜の下を訪れるたびに口ずさむ歌がある。

その子二十《はたち》櫛に流るる黒髪のおごりの春のうつくしきかな（与謝野晶子）

私は今年も「二十」の乙女との逢瀬を求め、円山公園の桜の下にやってきた。しかし、近づいて、呆然として言葉を失った。

生命の盛りに忍び寄る死の影……。私が目にしたのは、咲く花の陰に浮かび上がる、逃

れがたい老いの気配であった。

幹は老女の白粉《おしろい》のごとく白く塗られ、枝は痛々しく切断され、往年の美しさを失っていた。

古木だけに延命治療が施されているのであろうが、私の耳には枝垂れ桜が発する、悲しみの叫びだけが聴こえてきた。

焦がれてきた春のただ中に、突如失われた、盛りの花の美しさ。美の喪失は、いつの時代も春の宵に流れる笛の音のように寂しいものだ。

身をくねらせる巨木、舞い散っていく花片。その老残の白い化粧姿を見つめる私は、激しい酩酊感に襲われ、幻想の世界をさまよい始める……。


一九八七年八月、京都五条千本で興行された、麿赤兒《まろあかじ》率いる舞踏集団「大駱駝艦」の野外劇。その奇抜な風体の男女が繰り広げる、衝撃的な舞台に立ちこめた、めくるめくような土俗、猥雑、ダイナミズム、エロティシズム……。

私たちがずいぶん昔に失った生の深層が、大音響の音楽に包まれた舞台の底から、次第にせり上がってきたことを思い出す。

地の底から、男女のうめきや絶叫が地鳴りのように沸き上がってくる。何かを求め、さまよう、切ない声――。

それは、まさに異様な光景であった。

若い男女二、三十名が入り乱れ、白く化粧した桜の老木にしがみつき、よじ登ろうとしている。

男は禿頭、全裸に近く、女も頭髪をわずかに残すのみ。ともに全身白塗りの野獣。

白い幹に白い獣と白い桜花。

狂ったように虚空をつかむ女の白い手。痙攣したように空を蹴りあげる男の白い足。

うめき声が怨念のように空気を裂く。

くねる腰、風に流れる長い黒髪。

登る。狂おしく登っていく。桜の幹を身体をくねらせ、登っていく――。


春の一夜。

むせるような桜の香気と、見物客のさざめきにあふれた広場のなかで、漆黒の宙《そら》へ、無数の花片と白い男女の裸体が渦となって昇っていく。

京都円山で繰り広げられた幻想の舞踏劇は美しく、そして限りなく哀しい。

五　北国の透明な空に白鳥が消えていく

「帯広空港に到着します」

アナウンスが流れ、機体はゆっくりと下降を始めた。

窓外に、広大な北の原野が広がる。

じゃがいも畑なのか、麦畑なのか。直線で区切られ、緑に縁取られた畑が延々と続く。真っ直ぐに伸びた白い道路が、天空の彼方に消えていく。

六月の明るい陽光は限りなく透明度を増して、あらゆる地上のものたちに命の輝きを与えていた。

点々と赤い屋根の農家が続き、豆粒のような牛が草をはむ。陽光に融けてしまったのか、人影もない大地は静寂に満ち、あらゆるものが動きを止めている。

滑走路の周囲はほの白く、いまだ残雪が残っているかのよう。着陸寸前、それが綿毛をつけたタンポポの群生であることを知った。

空港に降り立つとき、夭折の歌人「中城ふみ子」との邂逅の予感に、私の心は震えていた。

　冬の皺寄せゐる海よ今少し生きて己れの無惨を見むか

　この衝撃的な短歌に出会ったのはずいぶんと前になる。命を切り刻み、慟哭する一人の女性と冬の海。心の極北にまたたく冬の星のような魂の輝き。私はこれほどまでに命を凝視した歌を知らない。そして、いつの日か、彼女に会いたいと想い続けてきた。

　中城ふみ子は、北海道帯広市で生まれた。乳癌のため両乳房を失い、札幌の病院で三十一歳の短い生涯を閉じた。死の直前に歌集『乳房喪失』、死後に歌集『花の原型』が発刊された。

　亡くなって、すでに五十年以上もたつが、その生きざまは、暗黒の天空に一筋の光芒を放ち消えていった、冬の彗星のように美しい。

　生の証を求め、うめくように吐き出した数々の作品は、バラの鋭い棘のように、激しい痛みをともない、私の身体に突き刺さる。

空港から帯広市街に向かう広い道路を車はひた走る。

白樺の林、緑したたるじゃがいも畑、トウモロコシ畑、ビート畑が窓外を流れていく。はるか西方には雪をいただく日高山脈がそびえる。

透き通るような北の地の陽光には、幽かに憂愁のようなものが潜んでいる。爛漫の季節の中を私は往く。

帯広駅の近くにある図書館を訪ね、新津病院の場所を教えてもらった。彼女が乳癌の切除手術を受けた病院である。

恋多き女性、中城ふみ子の病室には、頻繁に恋人たちが訪れたという。病魔に冒される苦しみの中、恋情の奥深くに生のありかを求め続けたのであろう。

かつて病院は駅のすぐ北の旧市街にあった。すでに跡形もなく、駐車場となった小さな広場に、今は車が二台、所在なげに止まっていた。

私の手には、往時の新津病院付近を撮影した一葉の写真がある。それは、中城ふみ子も目にした風景に違いない。

舗装工事中だろうか。掘り返された道路の片隅に、今にも淡く消え入りそうな小さな病院が、寂れた釣具店と並んでいる。

工事用の車両なのか。懐かしい三輪自動車が一台、正面を向き、小さく写り込んでいる。

そのさまはまるで黒い象がうずくまっているようにも見える。

懐かしい故郷に帰ったような既視感にとらわれた。

澄んだ光を浴び、祈るように頭を下げた私の眼前に、白昼夢の世界が広がっていった。


風が吹き、雪が舞う。街並みは静寂の底に沈み、夜のとばりに包まれる。

ふと広場にたち現われた灰色の病院。

夢遊病者のように足を踏み入れる。受付には誰もいない。冷気だけが背筋を凍らせる。

二階へと続く階段をのぼる。靴音だけが空気を震わす。人影はない。

病室の扉をノックする。返答はない。静かに押すと、音もなく扉は開いた。

白い壁に囲まれた病室には、裸電球の下、片隅に白いベッド。半裸の美しい女性が一人、静かに眠る。両乳房を失った中城ふみ子だ。

寒い部屋だ。窓の隙間から、北国の寒風が忍び込む。

足音を忍ばせベッドに近づく。死んでいるかのように動かない。

私はそっと毛布で、無惨な亀裂をさらす胸を覆い隠す。

ふみ子の顔に、幽かに安らぎの色が浮かんだ。

汚れた窓ガラス越しに、街灯に群がる無数の蛾のように、雪が静かに舞っているのが見える。

病室に忍び込んだ夜の底から湧きあがってくるように、中城ふみ子の歌が聞こえてきた。

冷えしきる骸《むくろ》の唇《くち》にはさまれしガーゼの白き死を記憶する

よろこびの失はれたる海ふかく足閉ぢて章魚《たこ》の類は凍らむ

初夏の陽光がまぶしい広場に、私は身じろぎもせず、ただ立ち尽くしていた。

昭和二十九年、中城ふみ子は札幌医大付属病院へ入院し、放射線治療を続けるも、その年の八月には息を引き取る。

「死にたくない！」が最後に発した言葉だという。

ふと、私は思う。

この絶句こそ、「ふみ子」終生最高の歌ではないかと。

北国のどこまでも透明な空の彼方へ、一羽の大きな白鳥が静かに静かに消えていく。

六　歴史の残滓と、人々との邂逅を求めて

冬の京を往く。

都を血に染めた、武士《もののふ》たちの呻《うめ》きが、地の底から沸き上がってくるようだ。寒風を貫き、聞こえてくるのは、惨殺された関白秀次一門のすすり泣きか。漂いくるのは、三条河原にさらされた、村山たか女の柔肌を流れた血の匂いか。幕末の志士たちの絶叫が地鳴りのように響く。

現代の街並をそぞろ歩く人々の足下にも、重層の歴史が潜む。一瞬の享楽を求め、嬌声さんざめく男女の群れに私一人。歴史の底深く沈んでいった、声なき者たちとの邂逅を求め、今日も「旅師」となる……。


奇矯なる「旅師」の邂逅は、歴史上の人物に限らない。

近年、こんな「出会い」があった。

新宿ゴールデン街を訪ねた。

路地を挟み、間口の小さな店が背を寄せ合う。街灯の薄明かりのなかを嬌声が飛び交う。飛び込みで入った薄汚れた一坪ほどの飲み屋は、三人がけの長いすが二脚。カウンターの奥には、短髪にジーンズ姿のマスターがひとり所在なげに立つ。

酒と目刺し、スルメだけの饗宴が始まった。

マスターが前衛劇の役者であったと身の上話がはずむ頃、売れない作家風の男と、新劇くずれと見える老境の男が現われ、隣の席に黙って座る。店の空気になじみ、定席の風情である。

マスターの背後には、自身の若き役者時代のブロマイドに始まり、エロ・グロのポラロイド、大衆演劇のチラシ、そして森山大道の写真展のポスターも。

「これでもか！」というように、混沌と猥雑が、薄汚れた壁とさびた冷蔵庫の扉を埋め尽くしていた。

酩酊したのか、幻聴なのか、近くの花園神社の杜から、雑音まじりの音楽が聞こえてきた。甲高い女優の声も混じる。

「状況劇場の開演だ！」

誘われるまま外に出ると、一月の雪が電灯の灯りに群れる蛾のように舞っていた。

――たった今、路地で肩が触れそうにすれ違ったのは、男か女か――

そんな不思議な出会いがあった。


浅草の裏町も訪ねた。

ひっそりとたたずむ小料理屋には、歌人のような風貌のおかみさんがただ一人。丁寧な言葉遣いのなかに、華やかな人生の軌跡が潜んでいるようにも見えた。

酔いのせいか。おでんから立ち昇る湯気の向こうで、ゆらゆらとおかみさんの顔が揺れ、妖艶な女性に変貌した。

壁には野坂昭如の色紙がさりげない。「マリリン・モンロー、ノーリターン」という、哀感を帯びたメロディが、小さなカウンターの奥から滲み出るように幽かに聞こえてきた。

そんな懐かしい出会いがあった。


京都で、永井荷風のお孫さんとお会いする奇遇を得た。

荷風の面影を残した清楚な方であった。名刺には、宗家藤蔭流藤蔭会二代目藤蔭静枝とある。

荷風の妻、新橋の元芸妓内田八重《うちだやい》が祖母にあたり、数葉の当時の写真を見せていただいた。

色白で細面、憂愁を秘めた眼差しは、今にも消え入りそうにはかなげで、歌集「白孔雀」「無憂華《むゆうげ》」などを残した、大谷光瑞の妹で絶世の美女、九條武子に似ていた。「無憂華」は私の母の書架にあり、子どもの頃に、意味も分からぬままページを繰った記憶がある。

「きえずてあれ　なき世の後も我といふ　者の遺せる一すじの跡」

静枝さんは近々京都で、祖母を偲び、その「想い」を舞われるという。荷風が「旅師」であったように、静枝さんもまた、生の証を求める旅を続けておられるのであろう。

そんな思いもかけない出会いがあった。


月刊「遊歩人」を通じ、憧憬の人物に連なる縁も得た。

幼少の頃から私は、大詩人であり思想家でもあった村野四郎の詩集を耽読し、感銘を受け続けてきた。

その御子息が天下のセイコー・ホールディングス会長・社長の村野晃一氏とは、夢にも思わなかった。お手紙で知り、ついぞない衝撃を受けた。

さらに、同誌で、小生について丁重なエッセーまでいただき、村野氏が京都にある「樂美術館」を訪問されたことを知った。

琵琶湖畔にたたずむ佐川美術館にある、瀟洒な「樂吉左衛門館」を、村野氏は見学されたことがおありだろうか。

京都方面にお見えのときには、ぜひ足を運んでいただきたい。必ずお気に召していただけることであろう。

こんなときめく出会いもあった。

私はこれからも折にふれ、「奇矯なる旅師」となって、生の根源をめざす旅を続けていきたい。

第六章　故郷は一枚の絵となり、心の奥に沈む

一　蛍と故郷

　中国山地の山あいに、私の故郷は沈むように、ひっそりとたたずんでいます。町を貫いて流れる川に人影はないようです。久方ぶりに川辺に立った私の心には、ただ瀬音だけがかすかに響いていました。

　眼を閉じれば、想い出は一枚の画のように鮮やかです。キャンバスに描かれた、蛍の淡い光りは、私の心を今も照射し続けてくれます。

　人はなぜ蛍の光りに誘われるのでしょうか。漆黒の闇に儚《はかな》げに明滅する光りに、幻影のように消えていく自己の生を見るのでしょうか。それとも、死者の魂のような妖しさに、遠い祖先を想うのかもしれません。

　めくるめく幻影の彼方に、懐かしい少年の日々が、半世紀の歳月を越えて、一瞬のうちに甦ってきます。

　山峡の町の夕暮れは早い

西の山の端に夕日が
一瞬の光を放って消えていく

夕闇が鮮やかに流れ始める
街灯をかすめ一瞬に消える蝙蝠《こうもり》
燦《きら》めきをたたえつつ流れゆく川
川面に虫を求めて銀鱗が躍る
瀬をわたる風に竹の林が揺らぐ

どこからか流れくる
かぼそい笛の音のような響き

下駄履きの少年は
浴衣姿の母に手を引かれ
蛍籠と団扇を手に川辺へ急ぐ
さんざめく子どもたちの声が

至るところから聞こえてくる

竹林を縫うように儚げな灯りが
幾筋も幾筋も翔んでいく
竹の葉が月光に幽かに光る
母のてんかふんの香りが風に流れた

少年は蛍が近づくのを息を潜め待つ
川の匂いがする
虫の鳴く声がする
浴衣のすそが夜露に濡れる
母の手を握って身じろぎもしない

蛍が近づいてくる
団扇で軽く払うと
か細い灯りは

足下の草むらでまたたいた
籠に入れると
指先に淡い光が花粉のように残り
掌には幽かに移り香が漂った

夜の底から湧いてくるように
飛び立つ蛍たち
「これは亡くなった人の魂なのよ」
母はつぶやき
小さな灯りに眼をこらす

蛍籠は万華鏡のよう
妖しく輝き
息づかいするかのようにまたたいた
少年は軽い酩酊感に包まれる

淡い光りに母の顔が幽かに揺れた

宝物のように籠を抱き家路を急ぐ
六畳座敷の青い蚊帳の中に
一斉に放った

部屋の灯りを消すと
近くの田んぼから
蛙の鳴き声がいっそう響いてくる
少年は素早く蚊帳に潜り
布団の上に仰臥する

あまたの蛍が乱舞する
妖しくまたたく光りの渦
蚊帳の中は
満天の星々が輝く大宇宙に変貌した

どこからか太鼓の音が聞こえてきた
深い安らぎが少年の心を満たす
頬を風が流れた
母が団扇で優しく煽いでくれる
いつまでもいつまでも

少年は遥かな遥かな旅に出かける

懐かしい故郷の町を歩きました。川に沿った街道に、家々が立ち並んでいます。人影はありません。四つ辻に出ます。湿った風が吹き渡ってきました。

白昼夢でしょうか。祭りの神輿《みこし》をかつぐ人たち、子どもたちの突き抜けるようなさんざめきが、私の胸にもの悲しい旋律を響かせました。

神社の前を通りぬけましたが、澱《おり》のようによどんだ空気は動いてはいません。あたりを見渡せば、廃屋が至るところに傾き、ひっそりとたたずんでいました。

テレビの音が耳のかたすみに流れてきました。ああ、あの頃は何もなかった時代だと懐

かしく思い出がよぎりました。

昔、父に連れて行ってもらった芝居小屋の前を過ぎるとき、田舎芝居の女形の白塗りのうなじが、なぜか鮮やかに浮かんできます。

堤防も、田んぼを横切るあぜ道もコンクリートの鈍色《にびいろ》の光を放ち、小魚が群れていた小川にはもはや魚影はなく、幻覚によろめくように私は足を運びました。一匹の蛍が白昼の中を飛んでいくのが見えました。

母の若やいだ笑い声が虚空に消えていきます。私は懐かしい響きを追って、空を見上げました。街道裏にそびえる山々だけは、永遠の風貌を見せ、今も変わらない姿でした。

母恋し　夕山桜　峰の松

故郷の町に立つとき、いつもこの泉鏡花の歌が口をついてこぼれるのです。

故郷は永遠をいつも垣間見せてくれる、不思議な場所です。

二　備中神楽《かぐら》に想う

ドンドン、ドンドコ、ドンドンドン
太鼓の音が空気を破り
錦繍をまとう山々にこだまする
静かな山峡の町に
待ちに待った
八幡様の大祭がやってきた

母に手をとられた少年は
神社へと続く道をたどる
小さな心は太鼓の音に
さざ波のように揺れていた
夕闇が忍び寄り

八幡様へ続く参道が
裸電球に照らし出されるころ
参道に屋台が軒を連ねる
金魚すくい、射的、綿菓子
飴売り、ラムネ売り

噎《む》せるような人いきれ
さんざめく声
提灯に揺れる人影
醬油が焦げる臭い
松の枝からのぞく細い細い三日月

酒で顔を火照らせた男たちが歓声をあげ
なまめかしく着飾った女たちがそぞろ歩く
境内のたき火から
こぼれた火の粉は

赤いホタルのように
漆黒の空を舞う

太鼓の音はいやが上にも高まり
祭りの華「神楽」の幕が開く

裸電球に揺れる舞台
四方の柱に渡された荒縄に
白い御幣《ごへい》が風に流れる
筵《むしろ》をしいた客席が三方を囲み
赤ら顔の大人たちが
酒や肴を手に思い思いに陣取る

深い森から彷徨《さまよ》い出たような魂の劇
天照大神の「天の岩戸開き」
大国主命の「国譲り」

素戔嗚命《すさのおのみこと》の「大蛇《おろち》退治」
神々の物語が備中地方一円の神社で演じられた
神楽の太鼓のリズムは
二千有余年のときを超え
神代の世界へと誘う
神々の仮面をつけた神楽師が
金糸銀糸に縁取られた
原色の舞台衣装に身を包み
阿修羅《あしゅら》のごとく乱舞する
哄笑を誘う掛け合いあり
艶っぽいやりとりもある
客席から絶妙な合いの手が飛ぶ
境内は猥雑な興奮のルツボと化す
神楽もたけなわ
大国主命が餅をまく
招福の紅白小餅が宙に舞い

おみくじ

人々は我先に福を奪い合う
祭りの最後を飾るは
「八岐《やまた》の大蛇退治」
眠い目をこすりつつ
深夜まで見通した子どもは鼻高々
家に帰ると母が炭火で
少年が獲得した餅を焼いてくれた
醬油と砂糖をつけて食べ
「本当に楽しい日だった」と
安らかに安らかに眠った

これが私の「原点」だ
人生の折に触れ
八幡様の祭りを思い返す
そのとき私の心に甦るのは
狂おしいほど切なく

愛おしく美しい思い
花に誘われた一匹のアブの羽音のように
かすかな太鼓の音が
今も心の中で鳴っている

口ずさむ石川啄木の歌がある
「ふるさとの山に向かいて
いうことなし
ふるさとの山はありがたきかな」
心の中で奏でれば
魂は時空を超え
懐かしき故郷へ飛翔する

――生家の前に立つ
私の眼前には
今も変わらず青い山がそびえる

美しくたおやかなその稜線が
心の中に鮮やかな像を結ぶとき
私の魂は再生されている――

生きるということは
心の故郷に帰る
長い旅路なのではないだろうか

「備中神楽」

国の重要無形民俗文化財。高千穂、出雲と並ぶ日本三大神楽で、江戸時代の終わり、備中国神官の西林国橋《にしばやしこっきょう》が「古事記」や「日本書紀」に題材を求め、大衆芸能としてまとめた。

三　故里の旅

お盆のお墓参りのため、久方ぶりに、岡山県北西部に位置する、故里の駅に降り立った。木造の小さな駅のプラットフォームの柱には、今も高校時代の青春の残渣がしみついているようで、妙に心をくすぐる。

生家はこの小さな駅から、川の流れに沿ってくねくねと続く道を十キロメートルほどさかのぼった山間部に、ひっそりと隠れるようにある。

高校時代の三年間、ただの一日も休むことなく、自転車で駅まで走り、汽車を一時間乗り継ぎ、さらに駅から徒歩で町にある学校まで通学した。

五時に起床し、夕方六時過ぎに帰宅する毎日だった。

当時、自転車を預かってもらった駅前の建物を探す。五十年間の歳月は、そんなノスタルジックな思いを、うたかたの彼方に消し去り、ただ沈黙を続けている。

私は、悄然と街角にたたずみ、孤独な旅人と化す。時計の針は半世紀前の時を、静かに刻み始めた……。


川面が小さくせり上がり、銀色の小魚が跳ねる。川鵜が長く細い首を伸ばし、水面をにらんで動かない。赤とんぼが眼前を横切る。

いつものように、山と川が織りなす、かすかな匂いが漂う。

そんな変わらぬ光景を横目に、少年に戻った私はペダルを漕いだ。

道端に、山中鹿之介の墓がひっそりとたたずむ。

鹿之介は、「尼子十勇士」の一人として、毛利方と上月城《こうづき》で対陣したが、利あらず囚われの身となり、備中松山城への護送途中、この場所で斬殺された。

静かに頭《こうべ》を垂れる。

「我に七難八苦を与え給え」

高校時代、苦しいときに、どれだけこの鹿之介の言葉が支えになったことか。

誰が供えたのか、一輪の手向けの花が、鹿之介の墓前に揺れていた。

ひりひりするような暑さのなか、備中松山城が故里を見下ろす臥牛山《がぎゅうざん》をめざす。足をふと止めると、地元出身の歌人、清水比庵《ひあん》の歌碑が眼に入った。

萩原朔太郎、岡本一平・かの子夫妻、中河與一らと交流があり、「いま良寛」とも呼ばれた比庵は、故里を次のように詠んだ。

ふるさとに松山多し
松山に春風ふけば春風の音蕩々たり
松山に秋風ふけば秋風の音飄々たり
春の日は霞たなびき秋の雨は茸群れ立つ

松山は春も見るべし秋も遊ぶべし

故里の香りを運ぶ風は、まだ清《さや》かではないが、秋の気配をほのかに秘めているようだ。しばらくすると、比庵が詠んだ秋の風が、飄々と山峡を吹き抜けていくことだろう。

駅と生家を結ぶ川沿いの道を、ゆっくりと自転車で往く。

左手は穏やかな川の流れ、右手はなだらかな丘や急峻な山が次々に迫る。道に面して、点々と小さな寺や祠が並ぶ。

そんなさり気ないものに出くわすたびに、自転車を止め、小さく頭を下げる。

少年の眼には見えなかったものが、今は確実に視野に入ってくる。

「赤羽根稲荷古墳」とある。五世紀初めごろのものだという。

この辺りに、まさか古墳があろうとは。千五百年にもわたり続いた、情念の時の流れが私を包む。

「金剛力熊ヶ嶽」という郷土力士がいたことにも驚いた。郷土力士を顕彰する立札が街道から少し入ったところに立つ。言い伝えによれば、文政元年（一八一八年）十月の江戸大相撲では幕内六枚目で全勝したが、大阪巡業のときに毒殺されたという。

立札がかすかに傾いだように思ったのは、気のせいか。

故里の旅。

幾度となく、自転車から降りて路傍にたたずむ。それぞれの生を必死に生き抜いた、故里の先人たちのささやきに耳を傾けた。

聞こえてくるのは、消え入りそうな彼らの祈りの声だけ。深い静寂《しじま》のなかで、私はただ沈黙し続けた……。


京都に住む私は、古都の至るところに存在する、ときの為政者たちが織りなした重層の歴史を感じ続けてきた。

しかしと思う。

それだけではないと——。

おびただしい名もなき人々の喜びや悲しみの途方もない重なりの中にこそ歴史はあり、私たちは生きているのだと——。

小さな駅舎と生家までのわずか十キロメートルの道程《みちのり》に、私という存在が、また私が生きた人生が凝縮されているに違いない。

私は深い敬虔な気持ちにとらわれる。

薄墨の帳《とばり》が、ようやく山あいの盆地にも降りてくる。駅前の大通りで、お盆恒例の備中松山踊りが始まった。

浴衣姿の女性が歌う音頭が、哀調をおびて流れてくる。

やぐらを囲む踊りの輪がしだいに広がり、やがて数百人規模になる。老若男女が音頭に合わせ、踊る、踊る、踊る。

額の汗が、電球の明かりに光る。

両脇に夜店が並ぶ大通りには、烏賊《いか》を焼く香ばしい匂いが漂う。煙とともに、さんざめく人々の声が虚空に溶けていった。

人知れず消えていった人々の魂が、はるか彼方に還っていく。

私はいつまでも空を見上げていた。

四　白い秋

季節は音もなく過ぎていく。時の流れはかぼそく奏でられる旋律に似て哀しい……。

朝夕はめっきり秋めいてきた。華やかな夏は過ぎゆき、一瞬華やいだ浜辺には、白い浮き輪が一つぽつねんと残っているかもしれない。

深夜、ガラス戸を静かに開け、庭にふらり出る。曇り空なのか、天空から深い闇が垂れ下がっている。近くにある神社の杜の巨大な木々がおぼろげに浮かび、まるで幽鬼の群れに見える。

私は闇に視覚を失い、妙に聴覚が研ぎ澄まされる。

幽かな風に草の葉かすれ合う音。

どこからか澄んだコオロギの声。

何かに怯えたような鳥の羽音。

遠くでこだまするフクロウの鳴き声。

無数の小さな生き物の鼓動が伝わってくる。

冷気が肌をさらさらと流れていく。体が闇に融けていく。私の心は霊的になる。

目を凝らすと、白い花が中空に浮いている。見上げると百日紅《さるすべり》の白い花である。老木だけに、毎年花が咲くかと心配しているが、今年も清楚な花で晩夏を飾ってくれた。

私は白い花弁を見つめながら、藤田嗣治の「横たわる白い裸婦像」を想い浮かべていた。

藤田が描く女性の白肌は「藤田の白」として一世を風靡《ふうび》した。

百日紅の真白い花の群は、樹上に横たわる白い裸婦に見えるのだ。日増しに秋の気配が深まる深夜。その白い肌は闇の冷気を吸って、象牙のように美しい。幽かな風に揺れ、秋の美しさに堪えかねたように身をよじらせる。

百日紅の白い花は、私を少年時代に引き戻した。

父の生家は山峡の小さな集落にあった。源平の争乱に敗れた平家の落武者の隠れ家もあったと父から聞いたことがある。実際に、生家を背負うようにそびえる裏山の頂きに立つ小さな石碑は、平家の落武者の墓であろうという。

隣家はずいぶん離れたところにあり、まさに一軒家といった風情であった。家の周りには畑が広がり、よく猪や兎が作物を荒らした。庭には数本の大きな柿の木があり、たくさんの草花が植えられている。

牛が二頭飼われ、鶏が数十羽、広い庭に放し飼いにされていた。

少年時代、その家に泊まりがけで、父に連れられ、よく行った。

思い出は今も鮮明に残っているが、とりわけ子供心に印象に残ったのは、厠《かわや》であった。母家からずいぶん離れ、深夜に用が生じると下駄にはきかえ、とぼとぼと白い月光を浴びながら歩いていかなければならなかった。

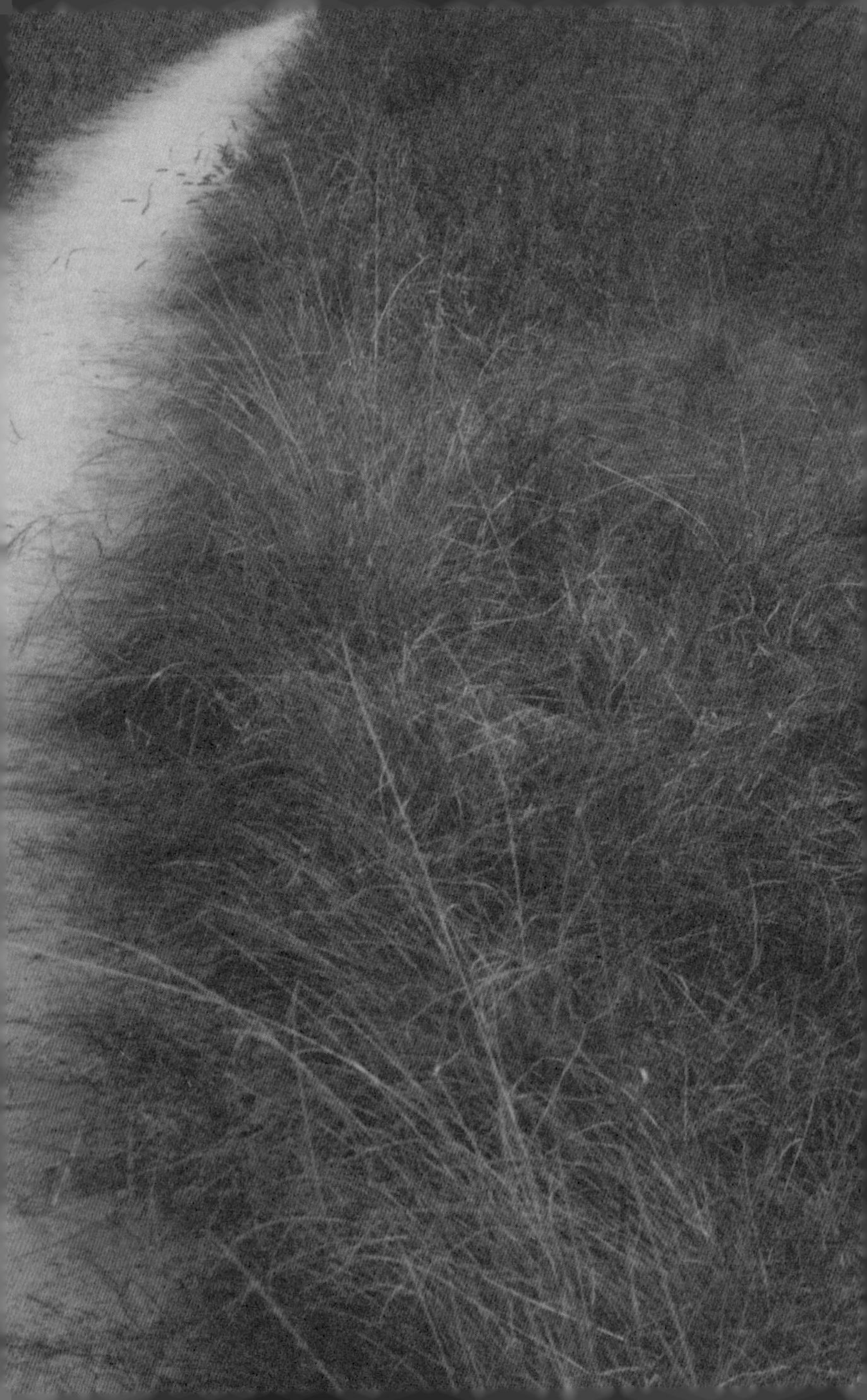

白い草花の一群が月の光に幽かに揺らめき、いかにも不気味だった。厠の前には白い花をつける百日紅があり、季節ともなれば、白い着物をまとった女性に見えた。用を済ますと、少年は後ろを振り向かず一目散に母家へと走り帰った。ときに、狐の遠吠えも聞こえてきたものだ。

しかし、昼間の静寂に包まれた山峡の美しさは、少年の心をとりこにして離さなかった。

そんな山間の集落に、観音寺という古寺があった。

父から赤松月船《げっせん》という名をたびたび聞いた。奇妙な名前の人がいるものだと不思議に思っていたが、しばらくして、月船が観音寺の僧侶であることがわかった。

同時に生田長江に師事し、草野心平、佐藤春夫、室生犀星等と交流があった著名な詩人であることを知った。

父は、春や夏の祭事を通じて、月船と交流を深めていた。

そんなこともあってか、幼い私ではあったが、赤松月船の詩集を折に触れ、ひもといた。

それから、もう半世紀以上が過ぎた……。

夜も白々と明ける頃、詩集を手に再び庭に出る。小さな庭の木々の影が日ごとに夏の力を失い、秋の気配を深めていく。

久しぶりに月船詩集のページをめくる。「秋冷」という短詩に目がとまった。

深い渓流に臨んだ
斷崖の家の窓から乗り出し
髪をすきながら
その白い裸身を
惜しげもなく
朝の嵐気に晒してゐる婦は
何といふ爽やかな秋冷でせう!

（赤松月船詩集『秋冷』所収）

少年のころの父の生家の周りに漂う、白い秋の静謐《せいひつ》な美しさを想い返す。まさに月船の「秋冷」の世界であった。
片隅に咲く百日紅の白い花が空気に融けこみ、可憐な風情をみせている。しかし、わずかな時を経て、枯れていくのであろう。
透明な青い空の底を、一筋の白い雲がゆっくりと流れていく。

美しい秋だ。

違《たが》うことなく時を刻み、うつろう季節。

生も死もすべてのものが秋空の彼方に消えていく。

五　宴はいつも美しく華やかで

夕暮れのように暗い。

冬の雨が静かに甍《いらか》をたたき、庭の臘梅《ろうばい》が、ほのかに白く浮かび上がる。名も知らぬ鳥の叫びが、静寂《しじま》を破る。

炬燵に身をすくめながら、「短歌評論」のページを繰る。寺山修司の歌で目が止まった。


　ふるさとの訛りなくせし友といてモカ珈琲はかくまでにがし

望郷の歌である。東北にある寺山の生家も、今は深い雪に埋もれ、沈黙しているに違いないここ古都の戸外もますます暗く、いつしか雨は雪に変わろうとしていた。

幻の冬の蝶なのか。ひらひらと泳ぎくる雪は、時空を越え、私を少年時代に誘《いざな》っていった——。

川沿いに細く続く町並み
戦後まもない山峡の町にも華やぎが漂う
子供たちは夜遅くまで眠れない
秋の大祭、冬の神楽、そして夏の花火
大人も子供も指折り数えて待つ

花火大会の朝、父が言う
——今日の夕飯はすき焼きだ——
飢餓時代に年に三度の豪華な食事
子どもたちは声を弾ませる
だが、それはとても悲しい出来事
五羽のにわとりの世話に
少年は明け暮れ

すべてに名前をつけた
――今日はあの鶏《とり》にしよう――
父の命で大切な一羽を追う
恐怖に怯える小さな眼
少年は裏庭に追い込んだ

わらひもで足をくくり
柿の木の枝に逆さにつるす
けたたましく鳴き叫ぶにわとり

少年は逃げるように
川に走り飛び込んだ
狂ったように潜り続ける
涙は川に溶けていった

鍋を囲む大家族
裏の畑でとれた野菜
甘い匂いを放つとり肉
少年は湯気に包まれ、夢中で食べた

山あいを駆け足で過ぎる夕暮れ
通りが騒々しくなってくる
もどかしく浴衣に着替え
表に飛び出る

いつも人影がまばらで
縁台将棋の人だけが目立つ通りに
人々があふれかえり
川辺へうごめいていく

色とりどりの浴衣

若い男女のさんざめく声
脂粉の匂いと都会の香り
少年は人の流れについていく

山峡の町に
夜のとばりが静かにおりる
夜風に誘われるように川面が波立ち
蛍火のように光り輝く

最初の花火が上がる

一瞬の閃光
浮かび上がる人の群
落ちてくる花火の火片が
無数の金魚のように川面ではねた

炸裂する轟音
野鳥が羽音を立て闇に消えていく
連なる山々が
割れるように声をあげた

父母に手を引かれた子供たち
肩を寄せ合う男女
どよめきが
川辺を包んでいく

夜店が川沿いに並ぶ
鼻をつくアセチレンガス
焼いか、綿菓子、水あめ、ラムネ、
サイダー、かき氷……

群がる人々……

見世物小屋や猥雑な踊りを見せる小屋
赤ら顔の男たちがたむろし
コウモリが群れなし飛翔する

闇を切り裂く花火は稲妻
天空が割れ
切り裂かれた虚空の彼方から
不気味なものが落ちてきそう

喧噪の中で
いつしか少年の心に
不可思議な思いが生まれ
宿る

過ぎていく季節への哀惜か
小さな生命を失った悲しみか

祭りはいつも
胸を刺すような痛みとともにある

――最後の仕掛け花火が始まります――
川辺にアナウンスが響き渡る

炎《ほむら》炙《あぶ》り出され
街並みは黄金色に輝き
すべてを露わにして
漆黒の闇の中に消えていく

一瞬の夏は終わる

川風に吹かれ
少年の浴衣の裾だけが
いつまでも

いつまでも揺れていた

祭りも
生きることも
宴《うたげ》はいつも美しく華やかで
そして淋しく悲しい――

いつしか外は本格的な雪になっていた。空の涯《はて》から湧き出るような無数の雪片が小さな庭を舞う。暗く遠い空の底から、ドォーンと大きく鈍い音がし、部屋の窓ガラスを震わす。冬の雷《いかずち》か、冬の花火か……。
少年時代の思い出は、生を重ねた今も、一枚の絵となり、いつも心の奥底に沈んでいる。

本作中にとりあげた主な人物一覧

〔あ行〕

赤江《あかえ》　瀑《ばく》（一九三三〜二〇一二）小説家。耽美的、伝奇的な作風で知られる。「ニジンスキーの手」でデビュー。「海峡」「八雲が殺した」で泉鏡花文学賞を受賞。『獣林寺妖変』の舞台となった京都・洛北の「正伝寺」は知る人ぞ知る名刹。

赤坂憲雄（一九五三〜）民俗学者。学習院大学教授。「東北学」を提唱。『岡本太郎の見た日本』でドゥマゴ文学賞。『性食考』が話題となった。

赤松月船《げっせん》（一八九七〜一九九七）十三歳で得度。曹洞宗の僧侶となるも成人してから、生田長江に師事する詩人に。四十代、生地・岡山に戻り、後に曹洞宗権大僧正。

阿久《あく》　悠《ゆう》（一九三七〜二〇〇七）作詞家。菊池寛賞を受賞。日本レコード大賞の「また逢う日まで」「北の宿から」などのヒット曲多数。小説『瀬戸内少年野球団』で直木賞ノミネート。

有島生馬《いくま》（一八八二〜一九七四）画家。有島武郎の実弟で里見弴の兄。「白樺」派に参加。

有島武郎《たけお》（一八七八〜一九二三）白樺派の小説家。作品に『或る女』『カインの末裔』等がある。キリスト教的人道主義者として知られるが、四十五歳で、編集者の女性と心中。

荒木経惟《のぶよし》（一九四〇〜）東京・三ノ輪生まれの写真家。東京の風景と人物をドキュメンタリーの雰囲気で撮る私小説的写真家。下町育ちならではのいたずらっ子的遊戯人。毎日芸術賞特別賞受賞等受賞多数。

安西冬衛（一八九八〜一九六五）詩人。現代詩人協会員。「てふてふが一匹韃靼海峡を渡っていった」(『春』)の詩で知られる。

井上　靖（一九〇七〜一九九一）小説家。『闘牛』で芥川賞を受賞。日本ペンクラブ会長を歴任。文化勲章。日本芸術院会員。

斎部路通《いんべろつう》（一六四九頃〜一七三八）江戸時代前期から中期にかけての俳人、芭蕉に師事するが、かねてよりの素行に問題があり破門される。

上山大峻《うえやまだいしゅん》（一九三四〜）仏教学者。龍谷大学名誉教授。金子みすゞの世界に共鳴。

内田奈織《なおり》　ハープ奏者。東京芸大卒業。国内外で精力的に演奏活動を行って数々の音楽賞を受賞。

梅原龍三郎（一八八八～一九八六）二十代でフランスに留学。白樺派同人と交流。戦前、戦後の日本洋画界の重鎮。日本芸術院会員、文化勲章授章。

海老原喜之助（一九〇四～一九七〇）洋画家。主に馬と人をモチーフとした。独特の「エビハラ・ブルー」の画風が有名。

大谷光瑞《こうずい》（一八七六～一九四八）宗教家、探検家。西域、インドの仏跡の発掘調査をした「大谷探検隊」を率いた。

大林宣彦《のぶひこ》（一九三八～二〇二〇）初期はＣＭディレクターとして活躍、大物ハリウッドスターを起用、後に映画監督。故郷の尾道を舞台にした三部作『転校生』『時をかける少女』『さびしんぼう』など。

岡田茉莉子（一九三三～）女優。父は無声時代の二枚目スター、岡田時彦。この父娘の芸名は谷崎潤一郎による。小津安二郎監督の「秋日和」でデビュー。後に彼女自身がプロデュース主演女優をつとめた「秋津温泉」が大ヒットする。この作品の監督吉田喜重と結婚。

岡本一平（一八八六～一九四八）漫画家。大正から昭和に、朝日新聞に連載した漫画漫文で活躍した。岡本かの子との間に生まれた子が画家・岡本太郎。

岡本かの子（一八八九～一九三九）大正・昭和前期の小説家。夫、岡本一平との関係は世間の常識をこえたものだった。「老妓抄」で「生々流転」などがあり、特に「老妓抄」での「年々にわが悲しみは深くしていよいよ華やぐいのちなりけり」はよく知られる。

小川洋子（一九六二～）小説家。岡山市に生まれる。『妊娠カレンダー』で第一〇四回芥川賞ほか受賞作多数。『博士の愛した数式』がベストセラーに。作品はフランス等海外でも高い評価を得ている。芥川賞選考委員。

荻原井泉水《せいせんすい》（一八八四～一九七六）現東京大学で言語学を学ぶ。自由律俳句の俳人。「季語不用論」を提唱。「層雲」主宰。門弟に放哉、山頭火等がいる。「水がうたいはじめる春になる」「空をあゆむ朗朗と月ひとり」

尾崎放哉《ほうさい》（一八八五～一九二六）俳人。現東京大学法学部卒、エリートの職を捨て、赤貧の中、自由律俳句の道を極める。代表句に「咳をしても一人」、「入れものが無い両手で受ける」他。

〔か行〕

梶井基次《もとじ》郎《ろう》（一九〇一～一九三二）小説家。鋭い感覚

的な作品で注目されたが三十一歳の若さで夭折。代表作『檸檬』『櫻の樹の下には』等。

梶川芳友（一九四一〜）何必館・京都現代美術館館長。エッセイスト。樹木希林が師と仰いだことでも知られる。

加藤唐九郎（一八九六〜一九八五）陶芸家。陶磁史研究家。「永仁の壺贋作事件」で世の批判を浴びる。以降、作陶一筋に戻る。今日も、作品の評価は高い。

金子兜太《とうた》（一九一九〜二〇一八）現東京大学経済学部、繰り上げ卒業で日本銀行に入行というエリートとしてスタート。俳人。現代俳句協会名誉会長。文化功労者。「社会性俳句」等を提唱、前衛俳句運動の第一人者。「梅咲いて庭中に青鮫が来ている」の句で知られている。

金子みすゞ（一九〇三〜一九三〇）大正から昭和前期に活躍した詩人。二十六歳のとき服毒自殺。西條八十から「若き童謡詩人の中の巨星」と賞賛された。

亀井勝一郎（一九〇七〜一九六六）昭和期の文芸評論家。代表作として『大和古寺風物誌』『愛の無常について』。

加山又造（一九二七〜二〇〇四）日本画家。京都、西陣織の図案家の子として生まれる。伝統的な日本画を継承しつつも現代性に果敢に挑戦、「現代の琳派」と称された。

唐十郎（一九四〇〜）劇作家、小説家、演出家、俳優。アンダーグラウンドの代表的劇団「状況劇場」主宰。「唐組」主宰。一九八三年、「佐川君からの手紙」で芥川賞を受賞。

川端康成（一八九九〜一九七二）小説家。近・現代日本文学の代表的作家。ノーベル文学賞受賞。代表作に『伊豆の踊り子』『雪国』等がある。七十二歳でガス自殺。

北原白秋（一八八五〜一九四二）九州、柳川の酒蔵の子として育つ。詩人、童謡作家、歌人。昭和前期の代表的詩人。『邪宗門』、『思ひ出』、文芸雑誌『朱欒』などで知られる。山田耕筰作曲の歌曲「城ケ島の雨」の作詞は白秋による。

草野心平（一九〇三〜一九八八）詩人。詩の同人誌『歴程』を創刊。〝蛙〟をテーマとする作品が多い。

九条武子（一八八七〜一九二八）京都西本願寺の生まれ。歌人・佐佐木信綱に師事する。歌人、教育者（現京都女子学園の創立者）で大正三美人の一人といわれた。著作としては『無憂華』が知られている。

国吉康雄（一八八九〜一九五三）洋画家。十七歳で単身渡米し、アメリカ的モダニズムの画風でアメリカ画壇の代表的画家となる。岡山県立美術館に『福武コレクション』が寄託された。

黒田清輝（一八六六〜一九二四）洋画家、政治家。法学を学ぶために渡仏したが、画家に目覚め転向、日本近代洋画の先駆者。帝國美術院院長。「朝妝」と題する鏡前の裸婦像が社会問題に。明治洋画壇のリーダーシップをとる。

小泉八雲《やくも》（一八五〇〜一九〇四）本名・ラフカディオ・ハーン。ギリシャ生まれの作家。来日後、現東京大学英文学講師のほか日本人への英語教育に励み、日本の文化・古典の海外への普及に尽力した。日本の民話に材をとった『怪談』が知られる。

〔さ行〕

西郷隆盛（一八二八〜一八七七）薩摩藩士。政治家、革命家。薩摩藩の下級武士から出世、王政復古、戊辰戦争を主導し、明治維新の立役者となった。西南戦争で自刃。

西郷従道（一八四三〜一九〇二）鹿児島県鹿児島市の生まれ。軍人、政治家。実兄の隆盛と共に明治維新の薩摩で活躍、兄が征韓論で下野した後も、政府の中枢で、海軍大臣等を歴任。

西條八十（一八九二〜一九七〇）詩人。仏、ソルボンヌ大学でポール・ヴァレリーらと交友があった。仏国留学後は象徴派の詩人として活躍したが、童謡や、戦後は歌謡曲の作詞家の作品も多数ある。「東京行進曲」「青い山脈」など。

斎藤真一（一九二二〜一九九四）岡山県倉敷市出身の洋画家。旅芸人の『瞽女《ごぜ》』や吉原遊女を描いて人気を博す。エッセイスト。『越後瞽女日記』「絵草子吉原炎上」等がある。

坂本龍馬（一八三六〜一八六七）江戸時代末期の志士、土佐藩郷士。倒幕・明治維新に関与、大政奉還の直後、暗殺された。

佐藤春夫（一八九二〜一九六四）近代日本の詩人、作家。随筆、評論、和歌等多彩な才能を発揮した。慶應義塾大学での師は永井荷風。谷崎潤一郎との「細君譲渡事件」がスキャンダルに。

里見弴《とん》（一八八八〜一九八三）小説家。有島武郎、有

馬生馬の実弟。代表作に兄の心中事件を素材にした『安城家の兄弟』や『多情仏心』がある。文化勲章受章。

清水比庵（一八八三〜一九七五）歌人、政治家。「今良寛」ともいわれ、童心に満ちた書も人気がある。岡山県高梁市出身。

白洲正子（一九一〇〜一九九八）旧伯爵家の次女として生まれる。随筆家。骨董、能等に造詣が深い。白洲次郎の妻。小林秀雄、青山二郎から美の薫陶を受ける。東京・鶴川の旧白洲邸を「武相荘」として公開。

鈴木真砂女（一九〇六〜二〇〇三）俳人。実家の老舗旅館の女将を勤めるも、若き恋人と出奔。波乱の人生を生きた。銀座に小料理屋「卯波」を営んだ。

瀬戸内寂聴（一九二二〜）作家。本名・晴美。東京女子大学在学中、結婚して一女を生んだが、夫の教え子と不倫、女流作家の道へ。売れっ子となった後、今東光師の導きで出家・寂聴となる。時代を生きた女性をモデルとした、伝記説を多く手がけた。七十歳を過ぎてからの「源氏物語」の現代語訳が話題に。

〔た行〕

高岡　修（一九四八〜）詩人。十代の頃より詩、俳句を書き始める。俳誌『形象』主幹。

高村光太郎（一八八三〜一九五六）上野の〝西郷さん〟の彫刻家として知られる、高村光雲の長男。詩人、画家、彫刻家。長沼智恵子と結婚。詩集に『道程』『智恵子抄』等があり、教科書などにも、よく取り上げられるが、「智恵子抄」から現れた高村光太郎を見直す動きも。

滝田ゆう（一九三一〜一九九〇）漫画家。東京の下町、寺島町の生まれ。私娼街玉ノ井で育つ。田河水泡の内弟子を経て漫画誌「ガロ」の人気漫画家となる。自伝的な作品『寺島町奇譚』や、「泥鰌庵閑話」など、今日では貴重な風俗史の一級資料。

立原道造（一九一四〜一九三九）詩人、建築家。青年期から詩作で頭角を現し、建築家としても嘱望された。第一回「中原中也賞」を受賞したが二十四歳で病没。東京都文京区の竹久夢二美術館の並びに小さくて美しい立原道造記念館があったが十年ほど前に閉館。

田中小実昌（一九二五〜二〇〇〇）作家。無頼な生活

をしながら、米国のミステリー翻訳を手がけ、やがて直木賞を受賞。無教会派の父を書いた「ポロポロ」で「谷崎潤一郎賞」受賞。通称〝小実さん〟と呼ばれた。コアなファンを獲得している。

種田《たねだ》山頭火《さんとうか》（一八八二～一九四〇）自由律俳人。「層雲」の荻原井泉水に師事。酒癖で身を持ち崩し出家得度。寺男を勤めながら発句を続けた。今日も近代人気俳人の一人。「うしろすがたのしぐれてゆくか」「分け入っても分け入っても青い山」

谷崎潤一郎（一八八六～一九六五）近現代の代表的小説家。耽美主義から出発しながら、端麗な文体で情痴や時代風俗等を描いて「大谷崎」とも称され晩年まで旺盛な創作活動を続けた。「刺青」、「春琴抄」、「鍵」『細雪』など多数。

沈壽官　鹿児島県に窯元を置く薩摩焼の陶芸の名跡。かつて島津家により朝鮮から連行された陶工により始まる。現在は十四代の長男が十五代を継いでいる。司馬遼太郎はこの沈壽官をテーマに「故郷忘じがたく候」を作品化した。

寺山修司（一九三五～一九八三）青森県生まれ。作家。劇作家。演劇実験室「天井桟敷」主宰。十代より早熟の天才歌人として中央歌壇にデビュー。多彩な才能を発揮、反近代、日本の土着性をテーマに前衛的なアングラ演劇を制作演出した。

東郷青児（一九三五～一九七八）洋画家。優美なタッチで、甘い独特の美人画を制作、大衆的な人気を得る。美術集団「二科会」を率いた。

東郷平八郎（一八四八～一九三四）薩摩藩士から海軍軍人。日露戦争で連合艦隊を率いて日本海海戦で完勝。「陸の大山、海の東郷」と称された。勝利した日露戦争での「本日天気晴朗なれども波高し」、「皇国の興廃この一戦にあり――」は有名な言葉。

〔な行〕

永井荷風（一八七九～一九五九）小説家。青年期から作家活動に入り、アメリカ、フランス外遊後、一時、慶應義塾大学教授。花柳界、私娼窟に材をとった『腕くらべ』『濹東綺譚』等の作品のほか、日記『断腸亭日乗』で独白の文学世界を構築。

中河與一（一八九七～一九九四）小説家、歌人。横光利一、川端康成らと新感覚派からモダニズムへ。『天の夕顔』等がある。

中城ふみ子（一九二二〜一九五四）北海道・帯広出身で、戦後短歌界を代表する歌人。波乱の人生で乳癌を患い歌集『乳房喪失』を発表、三十一歳で逝去。

長門裕之（一九三四〜二〇一一）俳優。父が沢村国太郎、妻に南田洋子、弟が津川雅彦と芸能一家。今村昌平の作品に多数出演。代表的な性格俳優。

中原中也（一九〇七〜一九三七）詩人。富永太郎、小林秀雄らと交遊、天才的な詩人として詩集『山羊の歌』を発表。多くの詩作があるが、三十歳で夭折。今日もファンは多い。「汚れちまつた悲しみに…なすところもなく日は暮れる」

奈良美智（一九五九〜）村上隆らとともに日本の現代美術を代表する画家。特徴的な表情の少女像をモティーフに作品を制作。ニューヨーク近代美術館等に収蔵される。

西山英雄（一九一一〜一九八九）日本画家。大胆な構成で富士を題材とした連作をはじめ山岳画を得意とした。

野坂昭如（一九三〇〜二〇一五）小説家、歌手、元参議院議員。CMソング作詞家として出発、『アメリカひじき』、『火垂るの墓』等で直木賞受賞。焼け跡闇市派を自称、黒めがねで無頼派風を演じて、一世を風靡した。

〔は行〕

灰屋紹益《はいやしょうえき》（一六一〇〜一六九一）江戸時代前期の京都の豪商。大叔父の茶人・本阿弥光悦から茶の湯を学ぶ。和歌、俳諧、蹴鞠、茶、書に優れた風流人。島原の名妓、吉野大夫を身請け。

萩原朔太郎（一八八六〜一九四二）群馬県生まれ。日本の近代詩をリードし、大正時代から昭和前期に活躍した。象徴詩集『月に吠える』『青猫』等。「ますぐなるもの地面に生え　するどき青きもの地面に生え　凍れる冬をつらぬきて…」。長女は作家の萩原葉子。葉子の息子は演出家・萩原朔美。

土方歳三（一八三五〜一八六九）江戸幕末の幕臣。新撰組の副長として局長・近藤勇を支え、戊辰戦争では幕軍指揮官。「蝦夷共和国」の箱館戦争で戦死した。

福永武彦（一九一八〜一九七九）詩人、作家、評論家。中村眞一郎、加藤周一らと「マチネ・ポエティク」を結成。フランス文学者。代表作に『草の花』『海市』がある。息子は作家・池澤夏樹。

藤島武二（一八六七〜一九四三）明治から昭和前期まで、日本の洋画壇をリードしてきた重鎮。手堅い描写力による古典的ともいえる端正な女人画で知られる。ロマン主義的作品が多い。

藤原審爾《しんじ》（一九二一〜一九八四）岡山県備前市で育つ。純文学から中間小説まで、幅の広い分野で活躍した小説家。一九五二年直木賞を受賞。焼け跡派の一人と称される。『秋津温泉』『泥だらけの純情』『新宿警察』など著書多数。

〔ま行〕

前田青邨（一八八五〜一九七七）日本画家。初め尾崎紅葉の紹介で梶田半古の弟子となる。大和絵の技法、表現を受け継ぎ、花鳥風月等を表現した。また武者絵も数多く残している。院展の中心人物の一人。弟子に平山郁夫ら。

松崎天民（一八七八〜一九三四）明治時代に活躍した新聞記者、作家。探訪記者として売り出した。『淪落の女』で評判となる。食道楽についての執筆で有名に。『銀座』は今日も文庫化。

麿　赤兒（一九四三〜）俳優。舞踏家。唐十郎の状況劇場に参加。後に「暗黒」舞踏集団・大駱駝艦を主宰。長男は映画監督の大森立嗣。次男は俳優の大森南朋。

水上　勉（一九一九〜二〇〇四）福井県生まれの作家。貧しい生まれから禅寺の小坊主として育つ。社会派推理小説『飢餓海峡』で一躍ベストセラー作家に。直木賞受賞作『雁の寺』は少年時代の寺での体験をもとにしたもの。『はなれ瞽女おりん』『越後つついし親不知』ほか著作多数。

宮田美乃里（一九七〇〜二〇〇五）フラメンコダンサー。歌人。癌で左の乳房を失い、写真家・荒木経惟にヌード撮影を依頼。写真集『乳房、花なり』全身の癌と戦いつつ、三十四歳で死去。

棟方志功（一九〇三〜一九七五）青森県出身。二〇世紀日本を代表とする版画家。代表作に「二菩薩釈迦十大弟子」等がある。

村上華岳（一八八八〜一九三九）大正・昭和に生きた代表的日本画家。現・京都市立芸大に学ぶ。同窓に土田麦僊・榊原紫峰ら。仏画山水画等に秀作が多い。五十一歳で死去。

村野四郎（一九〇一〜一九七五）初め荻原井泉水の「層雲」の自由律俳句作家としてスタート。詩作が評価される一方事業家としても成功。詩人。小学校の卒業式に歌われる『巣立ちの歌』など馴染みの作品もある。長男の村野晃一はセイコーの元社長。

村山たか女（一八〇九～一八七六）井伊直弼と情を通じ、江戸末期・明治維新の時代に活躍した女傑。幕府の密偵とも言われた。舟橋聖一の『花の生涯』のモデルといわれる。

室生犀星（一八八九～一九六二）金沢で私生児として生まれた。裁判所の職員等を続けながら、詩人、小説家となる。『愛の詩集』、『叙情小曲集』『性に目覚める頃』『あにいもうと』他、娘の室生朝子をモデルとした『杏っ子』が人気を博す。「故郷は遠きにありて思うもの～」はあまりにも有名な詩の一節である。

森村誠一（一九三三～）推理小説家。ホテルマンを経て、『高層の死角』でデビュー。社会派的テーマで数多くの小説を発表。『人間の証明』等。

森山大道（一九三八～）日本を代表する写真家。日本写真家協会賞、ドイツ写真家協会賞等受賞。世界各国で個展が開催されている。「アレ、ブレ、ボケ」が特徴と言われている。

〔や行〕

八木重吉（一八九八～一九二七）詩人、英語科教師。キリスト教に帰依。高村光太郎は「このきよい、心のしたたりのやうな詩はいかなる世代の中にあっても死なない」と言った。二十九歳で死去。死後、吉野秀雄、小林秀雄らの尽力により、遺稿が刊行され、再評価される。

山川登美子（一八七九～一九〇九）歌人。在学中から与謝野鉄幹の「明星」を知り、短歌を詠む。「白百合」百三十一首を発表。晶子と鉄幹をめぐり競うが恋に破れ帰郷、病を経て病没。三十歳。「病ゆへの痩せにはあらじ許しえぬ人を許すと胸とたたかひ」は絶唱。

山口長男《たけお》（一九〇二～一九八三）洋画家。現・東京藝大の卒業と同時に渡仏。ピカソ、ブラックなどからの影響を受ける。のち、二科展の再結成や、アブストラクト・アート・クラブの設立に奮闘した。

山下　清（一九二二～一九七一）画家。幼少期の病気がもとで、知的障害を負う。知的障害児施設八幡学園でちぎり紙細工を学び、才能を開眼。式場隆三郎の支援を得て各地を放浪しつつ制作を続けた。

山本實彦《さねひこ》（一八八五〜一九五二）ジャーナリスト。鹿児島県出身。「やまと新聞」等の記者を経て苦学の末大正八年改造社設立。賀川豊彦の「死線を越えて」がベストセラーに。月刊誌『改造』は当時の代表的な総合誌となった。

湯川秀樹（一九〇七〜一九八一）理論物理学者。一九三五年、中間子の存在を理論的に提示。昭和二十四年日本人として初のノーベル賞を受賞。

横尾忠則（一九三六〜）はじめ日本の代表的、グラフィックデザイナーとして活躍。のちに、美術家として世界的評価を受ける。文章での著作も多い。ニューヨーク近代美術館他で個展開催。

与謝野晶子（一八七八〜一九四二）歌人、評論家。歌集『みだれ髪』で華麗なデビュー。与謝野鉄幹と不倫の後、結婚。日露戦争に従軍した弟を嘆いて「君死にたまふことなかれ」と歌って様々な議論を呼んだ。六男六女を出産。

与謝野鉄幹（一八七三〜一九三五）歌人。雑誌「明星」を創刊。北原白秋、吉井勇、石川啄木らを育てた。

吉田蓑助《みのすけ》（一九三三〜）三代目。人形浄瑠璃文楽の人形遣。立女形として、文楽に女性の美しさを追求。文化功労者。

〔わ行〕

和田英作（一八七四〜一九五九）明治・大正・昭和に生きた洋画家、教育者。黒田清輝の後継者と称された。外光派（印象派）の風景画をよくした。東京美術学校長。文化勲章受章。

（文責・編集部）

あとがき

生の大半を企業人として生きてきた私だが、もともと少年の頃から、詩情を愛し、美に憧れてきた。やがて「文学の道へ進みたい」と考えるようになり、いったん京都に出ることにした。

縁を得たのが、若き稲盛和夫現京セラ名誉会長率いる京セラであった。以来、半世紀以上にわたり、文学への思い、美への憧憬は完全に封印した。私生活で耽溺することなきよう努め、会社では脳裏をよぎることさえ戒めた。

そんな私が、文学や美の世界へのかんぬきを外したのは、経営の第一線を退き、石井紀男さんとお会いしてからのことである。石井さんは、徳間書店で素晴らしい仕事をしてこられたベテラン編集者である。ご紹介いただいたときは、独立を果たされ、出版プロダクションの文源庫を設立、『遊歩人』という名の雑誌を刊行されていた。

お会いして、文學界のよもやま話をお聞きするうちに、お人柄に魅了された。また、石井さんに先導いただきながら、稀代の作家たちが彷徨した東京の下町界隈を徘徊し、酒場で酩酊するうちに、いつのまにか私は、『遊歩人』の執筆陣の一角に組み入れられていた。背中を石井さんに押されるようにして、何とか努めてきた私の連載もやがて回を重ね、二〇〇八年には身のほど知らずにも、初めての著書『心に吹く風』を上梓させていただくことになった。図らずも、その後、『リーダーの魂』『挫けない力』と、続刊まで世に問う機会を頂戴した。

このたび、それら既刊三冊の集大成版として、本書『美を伴侶として生きる歓び』を編んでいただけることになった。素人の書き手でしかない私が、このような僥倖に恵まれるのは、石井さんの存在を抜きにして語ることはできない。深甚なる感謝を申し上げたい。

石井さんから、思いもかけないご縁までいただいた。『遊歩人』を筆で支えてこられた、作家坂崎重盛さんとの出会いである。酒席などでお会いするたび、飾らないお人柄ながら、その該博な知識と教養に圧倒され、軽妙だがエスプリあふれる会話に魅了された。坂崎さんという存在が醸し出す審美眼で、私も文章も鍛えていただいていたように思う。心から敬服申し上げている。

そんな雑誌『遊歩人』の刊行を、高邁な使命感のもと、企業人として支援され、退職後もデジタル印刷の会社を起業、活躍されていたのが亀井雅彦さんである。亀井さんのご支援がなければ、『遊歩人』は存在することなく、私の駄文が陽の目を見ることもなかった。

本書出版も、亀井さんのご尽力があればこそのことである。衷心より御礼申し上げたい。

このたびの出版は、この御三方のご指導、ご鞭撻なくして、とても適わなかった。年寄りの我が儘な夢を叶え、出版の機会をいただいたばかりか、素晴らしい書籍に仕上げていただいた。拙い私の文章が、皆様に仕立てていただいた、センスあふれる体裁、仕様の書籍に見合うことを願ってやまない。また、出版にあたり、たいへんお世話になった京セラの粕谷昌志さんに深甚なる感謝を申し上げます。

私が唯一、作詞を手がけた歌謡曲「高梁慕情」がある。自身の原風景を謳ったものである。

高梁慕情

歌：井上由美子
作詞：伊藤謙介／補作詞：下地亜記子
作曲：聖川湧

おぼろ月夜の　桜《はな》咲く頃は

想い出します 故郷《ふるさと》を
別れの駅で ちぎれるように
手を振る母が 夜空に揺れる
帰りたい…なつかしい
あぁ 備中高梁《たかはし》 愛しい 心の町よ

友と遊んだ 高梁川《たかはしがわ》よ
光る川面に 跳ねる鮎
はるかな天神山《やま》と 松山城よ
幼い頃が 浮んできます
あの笑顔…なつかしい
あぁ 備中高梁 愛しい 心の町よ

『命ひとすじ 生きてゆくのよ』
母の言葉が 道標《みちしるべ》
くじけちゃ駄目と 励ますような

神楽太鼓が 聞こえてきます
帰りたい…なつかしい
あぁ 備中高梁 愛しい 心の町よ

私も馬齢を重ねた。しかし、まぶたを閉じれば、18歳の春の光景が今も鮮やかに浮かぶ。早咲きの山桜咲く、山あいの小さな駅だ。汽車の窓から身を乗り出し、ホームを見れば、遠ざかる汽車に向かい、いつまでも母が手を振っていた。背景には、中国山地の青い山並みが幾重にも続いている。

これほど美しく詩情あふれる光景はなかった。これが私の美を伴侶とする旅の起点であり、爾来、私の旅路は、山頭火が詠んだように、「分け入っても　分け入っても　青い山」が続いている。そのような旅を、一人でも多くの読者の方とともにすることができるならば、著者として望外の幸せである。

令和二年十一月初旬　紅葉近づく洛北にて

伊藤謙介

〔初出〕
本書は「心に吹く風」「リーダーの魂」「挫けない力」から抜粋、編集・構成した。（編集部）
ＪＡＳＲＡＣ 出 ２００９３２７－００１

伊藤謙介（いとうけんすけ）
昭和十二年。岡山県生まれ。
昭和三十四年、京都セラミック（現・京セラ）の創業に参加。
主に開発・製造畑を歩み、平成元年、社長。会長を経て相談役。
五十余年の仕事を終え、経営の第一線を引いた後、各紙に寄稿。
現在は晴耕雨読の日々を送る。
趣味は読書、美術鑑賞。散歩等。

美を伴侶として生きる歓び

二〇二一年二月二八日　第一刷　発行
著　者　伊藤謙介
発行者　石井紀男
発　行　文源庫
〒一〇一-〇〇五一　東京都千代田区神田神保町一-四四
駿河台ビル四〇一
☎・fax　03-5577-6571
販　売　デジタル・エスタンプ株式会社
〒一〇一-〇〇五一　東京都千代田区神田神保町一-四四
駿河台ビル四〇一
☎・fax　03-5577-6571
印刷・製本　錦明印刷株式会社
定価はカバーに表示してあります。
落丁・乱丁本は当社でお取り換えいたします。

ISBN978-4-903347-80-6